JEUNESSE

COLLECTION DIRIGÉE PAR **ANNE-MARIE AUBIN**

D0306268

C.Hébert

LE TRÉSOR DE BRION

DU MÊME AUTEUR

La Lune rouge,
   Montréal, Les éditions
   Québec/Amérique, 1991.

Retour à Saint-Malo,
   dans le collectif *Ici*,
   Montréal, Les éditions
   Québec/Amérique Jeunesse, coll. Clip, 1993.

La Cousine des États,
   Montréal, Les éditions
   Québec/Amérique Jeunesse, coll. Titan, 1993.

LE TRÉSOR DE BRION

JEAN LEMIEUX

ROMAN

QUÉBEC/AMÉRIQUE JEUNESSE

1380 A, rue de Coulomb
Boucherville, Québec J4B 7J4
(514) 655-6084

Données de catalogage avant publication (Canada)

Lemieux, Jean, 1954 -
Le trésor de Brion

(Titan jeunesse ; 25)
Pour adolescents.

ISBN 2-89037-686-9
I. Titre. II. Collection.

PS8573.E542T73 1995   jC843' .54   C95-940100-8
PS9573.E542T73 1995
PZ23.L45Tr 1995

Les Éditions Québec/Amérique bénéficient du pro-
gramme de subvention globale du Conseil des Arts du
Canada.

Tous droits de traduction, de reproduction
et d'adaptation réservés
©1995 Éditions Québec/Amérique inc.

Dépôt légal :
1ᵉ trimestre 1995
Bibliothèque nationale du Québec
Bibliothèque nationale du Canada

Diffusion :
Éditions françaises
1411, rue Ampère
Boucherville (Québec)
J4B 5Z5
(514) 641-0514
(514) 871-0111 - région métropolitaine
1-800-361-9635 - région extérieure
(514) 641-4893 - télécopieur

Révision Linguistique : Diane Martin
Montage : Cait Beattie
Illustrations intérieures : Anie Massey

J'aimerais remercier M. Charles Cormier, généalogiste, M. Arthur Gaudet, plongeur, M. Frédéric Landry, directeur du Musée de la mer de Havre-Aubert, M. Georges Langford, auteur et compositeur, M. Avila LeBlanc, folkloriste, et M. Camille LeBlanc, constructeur de bateaux, pour l'aide apportée pendant la rédaction de ce roman.

Je tiens aussi à souligner la précieuse collaboration de MM. Mario Déraspe et Édouard Leblanc, qui m'ont fait connaître l'île Brion.

À Catherine, Alexis et Madeleine

« Ils étaient quinze sur le coffre du mort
Oh, hisse ! et une bouteille de rhum !
La boisson et le diable avaient réglé
    leur compte aux autres...
Oh, hisse ! et une bouteille de rhum ! »

R. L. Stevenson, *L'Île au trésor*

ÎLES · DE · LA · MADELEINE

Île aux

Pointe-aux-
Loups

Fatima

Île du

Île du
Cap-aux-Meules

Cap-aux-Me

Baie de
Plaisance

Havre-
Aubert

L'ÎLE DU
HAVRE-
AUBERT

Le Bassin

Grosse Île

La Grosse Île

Pointe de l'Est

Île de la Grande Entrée

: aux Maisons

Golfe du Saint-Laurent

L'Île-d'Entrée

N
O
E
S

était rare, il y avait autant de requins aux Îles-de-la-Madeleine que d'électeurs heureux dans le bureau du député.

Les yeux plissés par le soleil, Guillaume scrutait la passe de l'île d'Entrée.

— Cherches-tu une voile ? demanda malicieusement Jean-Denis.

Guillaume lui fit de gros yeux. C'était un secret de polichinelle : Guillaume attendait, jour après jour, le retour annuel du *Nirvana*, le voilier de Pierre Brousseau. À bord se trouverait Aude, sa flamme de Québec, à qui il écrivait, selon le maître de poste, des lettres épaisses comme des catalogues.

— Arrête de faire le finaud et prépare l'ancre.

Prudemment, Jean-Denis se déplaça vers l'avant et sortit l'ancre de l'écoutille. Guillaume stoppa le moteur en face du cap Gridley.

— Tu t'arrêtes ici ?

— Je veux explorer de nouveaux fonds.

L'ancre coula avec un plouf ! qui se répercuta sur la falaise. Jean-Denis leva les yeux. En haut de l'escarpement, une croix de bois pointait vers un cumulus. Elle avait été érigée en souvenir de celle que

François Doublet, venu de Honfleur en 1663, avait plantée pour établir ses droits sur l'archipel. Jean-Denis, qui était cultivé malgré ses allures de plantigrade, l'avait lu dans un livre d'histoire.

Le jeune homme suivit des yeux les veines de granit qui couraient sur la muraille et frissonna. Le cap Gridley, avec ses éboulis, ses surplombs où nichaient les goélands et les sternes, son plateau défloré par les citernes de la Irving, lui avait toujours paru sinistre.

— On ne trouvera rien ici, assura-t-il à Guillaume.

— On verra.

Guillaume enfila sa combinaison et descendit en apnée pour reconnaître les lieux. À deux brasses, il trouva un fond superbe, des pierres amoncelées entre lesquelles fourmillaient des oursins, des étoiles de mer, des homards et des crabes. Il localisa un rocher noir de moules, attrapa un petit homard et remonta à la surface.

— Tiens !

Il jeta le homard sur Jean-Denis, qui hurla.

— Maudit fou! Un petit homard! Un plan pour que les gardes-pêche saisissent ton voilier!

— *Taisse-to!* Passe-moi les bon-bonnes.

Guillaume enfila son équipement et descendit vers les moules. Il y en avait plus qu'il ne croyait. En vingt minutes, il remplit son sac de mollusques. Il entrevit, vifs comme la foudre, une quinzaine de maquereaux qui longeaient le cap en sortant du havre. Il allait remonter lorsqu'il aperçut un objet brillant coincé sous une pierre. Il laissa son sac, fouilla le fond et dégagea une croix de dix centimètres de longueur, attachée à un anneau rouillé qui s'effrita sous ses doigts engourdis.

Il se propulsa lentement vers le plafond de lumière ondulante où la coque du voilier découpait la silhouette d'un fer à repasser.

— Regarde!

Jean-Denis jeta un regard froid sur la trouvaille de son ami. Guillaume profitait de ses plongées pour ramasser des bizarreries, de vieilles bouteilles de bière, des clous de quai, des coquillages rares. Il les ramenait chez lui et les rangeait dans la cave après les avoir nettoyés. La manie était un symptôme de sa maladie des épaves. Chaque semaine, il sortait la carte des naufrages du père Turbide et s'abandonnait à ses rêves de trésors.

Cette fois-ci, il lui tendait par-dessus la lisse une petite croix argentée, garnie d'une bordure noire à demi effacée.

Jean-Denis la frotta contre son chandail. La croix brilla au soleil.

— C'est peut-être de l'argent ?

— On dirait une croix de curé, dit Guillaume. Prends ça.

— Wow !

La croix impressionna moins Jean-Denis que le sac rempli à craquer de moules. La pêche ne serait pas longue. Il irait manger un croissant au Café.

Guillaume redescendit et remplit un deuxième sac. Son travail accompli, il flâna au fond, cherchant d'autres vestiges près de l'endroit où il avait trouvé la croix. Il n'y avait rien, aucune pièce de bois, aucune ferrure qui indiquât un naufrage.

Tournant le dos à la falaise, il se laissa couler vers le large. Le fond s'inclinait doucement. Les pierres se faisaient plus rares et cédaient la place à une plaine de sable blond où quelques touffes d'algues esquissaient un paysage de Far West.

Un courant d'eau glacée le fit frissonner malgré sa combinaison. Il revint sous la coque du *Par là-bas*, récupéra son sac et remonta à la surface.

Le soleil était plus haut. Un léger vent d'ouest commençait à souffler. Pendant que Jean-Denis jetait à la hâte les moules dans un bac en plastique, Guillaume prit la croix, l'examina et la rangea précieusement dans un tiroir de la cabine, à côté de la dernière lettre d'Aude. Ils sortirent les voiles et rentrèrent dans le havre, serrant le vent et gîtant comme des corsaires, sous l'œil goguenard de John à Wilfrid.

2

DÉJEUNER CHEZ BATHILDE

Au quai, Guillaume nettoya soigneusement le voilier et vérifia ses amarres. Il glissa la croix dans une poche de sa veste de jean et rejoignit Jean-Denis sur la passerelle. Sac sur l'épaule, ils firent la tournée de leurs clients réguliers.

Dans chaque restaurant, ils livraient leurs mollusques et acceptaient un reçu avant de continuer leur chemin. Ils se séparaient devant le *Café de la Grave*. Jean-Denis entrait et laissait ses dernières moules à la cuisine.

— Un croissant, Jean-Denis ?

— C'est comme vous voulez, *mononcle*.

Jean-Denis allait se laver les mains et prenait place à sa table préférée devant le comptoir où trônait le gâteau du jour. Il mangeait son croissant, buvait son bol de café, écoutait les conversations des habitués et répandait d'une voix bourrue des avis sur les conditions de navigation.

— Un morceau de gâteau, Jean-Denis ?

— C'est comme vous voulez, *mononcle*.

En tant que pêcheur de moules et neveu du patron, Jean-Denis jouissait au Café d'un crédit que personne n'osait discuter. Guillaume le lui avait dit : il ne perdrait pas un kilo tant qu'il ne renoncerait pas à sa station quotidienne dans l'antre de la gourmandise. Et qu'il ne chiâle pas la prochaine fois qu'il reviendrait bredouille de la salle de danse !

L'été, Guillaume entrait rarement au Café. Il n'avait pas beaucoup d'argent de poche. Avec ses arêtes d'efflanqué et ses mains calleuses, il se sentait mal à l'aise au milieu des touristes et des artistes d'occasion. Il préférait marcher cinquante mètres de plus et arrêter chez Bathilde.

Bathilde Cyr habitait une maison biscornue posée près de la grève. Avec ses bardeaux gris tordus par un siècle de vent, ses lucarnes en accent circonflexe au-dessus des carreaux ternis par le salange, ses fondations éclaboussées par les marées d'équinoxes, la bâtisse attirait l'attention des visiteurs. Trois promoteurs avaient fait des offres d'achat alléchantes à sa propriétaire, qui serait morte plutôt que de profaner l'héritage familial.

Le grand-père de Bathilde, Vital Lapierre, avait épousé une Clarissa McLean de l'île d'Entrée. Nul ne savait pourquoi il avait quitté son canton de Bassin pour venir habiter sur la Grave avec une protestante. À l'époque, ce n'était pas un mince exploit que de faire traverser la passe à une Écossaise, de la faire abjurer sa religion à la grand-messe et de composer avec son caractère. Leur dernière fille, la défunte Eudoxie, avait épousé un Cyr de Havre-Aubert, qui trouva moyen de se noyer trois mois après son mariage. Eudoxie devint une sage-femme renommée pour son esprit d'avant-garde et son franc parler. Après sa mort puis celle de la vieille Clarissa, Bathilde, troisième d'une lignée de têtes dures, avait gardé la maison et s'était enfoncée pour la suite des temps dans son rôle de vieille fille.

Guillaume frappa et entra sans attendre de réponse. Les boiseries du vestibule rappelaient l'ancien presbytère : la même odeur de verni, les mêmes moulures disjointes par l'humidité. Il plongea la main dans la poche de sa veste de jean. La croix était toujours là.

— Je suis dans la cuisine !

L'information était superflue : Bathilde était toujours dans sa cuisine. Tournée vers la rue et le havre, vitrée de trois côtés comme une timonerie, la pièce était l'âme de la maison. Dès l'aube, Bathilde y accueillait la lumière du jour. Le soleil se levait derrière l'île d'Entrée, virait derrière la dune, découpant les dentelles des rideaux sur le prélart, avant d'aller s'éteindre derrière la butte de la Croix. Bathilde passait le plus clair de son temps à la barre de son navire terrestre. Elle cuisinait des gâteaux pour le Café, du sucre à la crème pour la visite, des confitures pour l'hiver. Derrière ses rideaux, elle observait les passants, saluait l'un, ignorait l'autre, en chantonnant à voix basse, le visage aussi lisse que la mer du soir.

Elle sortait au crépuscule, pour aller au port ou au bureau de poste. L'hiver, elle enfilait un vieux vison, une tuque des Nordiques de Québec et affrontait les bourrasques avec une obstination digne de sa grand-mère Clarissa. Elle allait magasiner à Cap-aux-Meules une fois par mois avec son amie Phonsine. Pour le reste, elle fréquentait l'église pour se changer les idées et la salle de l'âge d'or pour activer sa circulation.

Bathilde Cyr avait mauvaise réputation. Elle recevait des hommes, de tous les âges, qui garaient leur automobile dans son allée sablonneuse et ne partaient qu'à la nuit tombée. Bien que Guillaume ne pût imaginer que son amie leur offrît autre chose qu'une tasse de thé ou une pointe de tarte, il savait que son hospitalité, mêlée à sa légendaire indépendance, n'était pas étrangère à sa disgrâce.

— Tu as faim ?

La question se passait de réponse. Guillaume s'assit à sa place habituelle, au bout de la table, l'estomac creusé par l'odeur de boulangerie.

— Va te laver les mains.

Autant il se montrait rétif avec son père, autant Guillaume éprouvait de plaisir à obéir à Bathilde. Depuis que sa mère était partie, il appréciait, sans se l'avouer, que quelqu'un prît la peine de lui indiquer le mode d'emploi de l'existence.

Il se lava les mains dans la petite salle de bains qui sentait la lavande. Il sortit la croix de sa poche. Le long séjour dans l'eau salée en avait terni le métal. Une boue rougeâtre s'était déposée sur la face arrière. Il la gratta avec son ongle, la passa sous le robinet. Des caractères apparurent, en partie effacés.

Wm   on e an an o dom ni   770

Réprimant à grand-peine son excitation, il vint s'asseoir devant son muffin et son bol de café au lait.

— Regarde.

Il tendit la croix à Bathilde. Elle lui lança un regard sévère. Il s'efforça de rester calme, de peur de se faire reprocher ses « extravagances ».

La vieille fille examina soupçonneusement la trouvaille, en la tenant à bout de bras.

— Où as-tu pêché ça ?

— En bas du cap Gridley.

— On dirait une croix de curé.

— On dirait. Tu as vu l'inscription ?

Bathilde se leva et alla chercher ses lunettes sur le réfrigérateur. Elle les percha sur son nez parsemé de veinules.

— C'est en latin. Attends une minute.

Elle prit de la pâte dentifrice et une vieille brosse et frotta énergiquement la relique.

— Il y a d'autres petites lettres, grommela-t-elle, trahie par ses yeux de presbyte.

Guillaume faillit s'étouffer avec son muffin. Bathilde n'avait pas la berlue : une rangée de caractères minuscules étaient gravés à l'arrière de la croix.

OαLILH2JONG19PΩ

— Tu parles d'un ratafia, soupira Bathilde.

— Un code ! s'exclama Guillaume.

— Toi qui t'ennuyais, voilà de quoi t'occuper.

— C'est quoi, le O en fer à cheval ?

— Tu demanderas au père Turbide. Ils ne nous apprenaient pas ça à l'école.

Guillaume fixait sa découverte avec une ferveur de croisé. Bathilde hocha la tête.

— Évidemment, ça mène à un trésor...

— On sait jamais.

— Veux-tu des galettes ?

Les yeux toujours rivés sur la croix, Guillaume avala son déjeuner avec une gloutonnerie distraite. Les fesses appuyées sur la bordure métallique du comptoir, sa tasse de thé disparaissant derrière ses jointures saillantes, Bathilde attendit qu'il eût fini pour le questionner.

— Vous avez eu des nouvelles de ta mère ?

— *Matante* Élizabeth m'a dit qu'elle était en Italie.

— Ton père ?

— Il est en beau maudit.

— Il a mis son bateau à l'eau ?

— Il parle de le vendre.

— Sa femme est partie, la pêche est mauvaise... Pour lui, c'est la catastrophe.

Guillaume mâchait plus lentement, les yeux dans le vague.

— J'imagine, finit-il par murmurer. Quand il ouvre la bouche, c'est pour se lamenter.

Bathilde Cyr eut envie de demander à Guillaume d'être indulgent envers son père. Elle se tut. Elle ne devait pas se laisser aveugler par l'affection particulière que lui inspirait Guillaume. Il avait toujours été son préféré parmi les enfants du village. Elle aimait sa tendresse bougonne, son intelligence, son énergie, sa sensibilité cachée sous ses dehors de petit capitaine. Qu'il fût l'enfant unique d'un couple à la dérive n'avait fait que cristalliser son inclinaison première. Les tempêtes domestiques avaient donné aux yeux pers de Guillaume une profondeur qui lui serait utile lorsqu'il entreprendrait sa carrière amoureuse.

— La pêche a été bonne ? demanda-t-elle pour alléger l'atmosphère.

— Pas pire.

Ce n'était pas le moment de rechercher des confidences : Guillaume n'avait d'intérêt que pour sa croix.

— Chavire-toi pas avec tes histoires de trésor. Maintenant, va-t'en. J'ai un gâteau à faire pour la fête du Café.

— Je vais faire un tour au musée.

3

LA *MARIE-GUILLAUME*

Le soleil de dix heures accueillit Guillaume en bas du perron de Bathilde. Un autobus de touristes frôla ses pieds et l'enveloppa d'un nuage de diesel. Guillaume entrevit derrière les vitres teintées une rangée de têtes blanches, certaines portant des casquettes de capitaine, d'autres des chapeaux de paille ornés de la silhouette stylisée de l'archipel, *made in Mexico*. La masse vrombissante fit trembler les murs centenaires de la maison des Flaherty et s'éloigna en direction du cap Gridley.

Guillaume repassa devant le Café. Jean-Denis s'attaquait à un morceau de gâteau aux graines de pavot. Ce n'était pas le moment de le déranger. Guillaume retrouva sa bicyclette devant le quai des plaisanciers. Il l'enfourcha et pédala jusqu'au musée.

Le père Albéric Turbide, curé de Havre-Aubert, conciliait ses charges pastorales avec son poste de directeur du musée. Il avait logé son dada dans un bâtiment aux lignes futuristes conçu dans les années soixante. Guillaume franchit les tourniquets au milieu d'un banc de touristes. L'hôtesse, sa cousine Berthe, le laissa passer : en tant qu'amateur d'épaves, il jouissait d'un sauf-conduit.

Le prêtre était parti à Grande-Entrée. Il ne serait de retour qu'en début d'après-midi. Déçu, Guillaume traversa la Grave, serrant son trésor au fond de sa poche, grimpa la butte du Palais de justice, tourna à droite devant le bureau de poste et abandonna sa bicyclette contre les bardeaux écaillés de sa maison.

À quelques mètres de la falaise, appuyée sur des madriers dans le foin qui frémissait sous le vent d'ouest, la *Marie-Guillaume* attendait toujours qu'on la mît à l'eau. Couchée ainsi, l'hélice à l'air, la cabine maculée de fientes de goélands, l'étrave meurtrie par le pick-up d'un fêtard de février, elle avait l'allure d'un blessé abandonné sur un champ de bataille.

En avril, quand sa femme avait retiré son fonds de pension et était partie en Europe, le père de Guillaume avait laissé en plan les préparatifs de sa saison de pêche. À quoi bon s'échiner à courir la morue dans le golfe ? La mer était vide. Les grands bancs avaient été saignés par les bateaux-usines. Tant qu'à s'arracher la vie à ramener des prises dérisoires, aussi bien abandonner son bateau sur ses cales et faire du piquetage devant le bureau du député. Les pêcheurs des Îles n'étaient pas plus bêtes que ceux de Terre-Neuve : ils recevraient eux aussi des allocations qui leur permettraient de survivre et les rendraient aussi dociles que des bœufs de boucherie.

Ainsi parlait André Cormier. Son malheur était double : sa femme était partie en même temps que la morue. Il se trouvait réduit, lui, le meilleur pêcheur de fond de Havre-Aubert, à hanter les quais et les bars de la Grave, son malheur à la poupe, comme le dernier des fainéants.

Guillaume n'était pas dupe. En d'autres temps, son père aurait descendu la *Marie-Guillaume* à la mer en avril. Il aurait pêché le hareng, son maigre quota de morue, le maquereau du printemps et celui de l'automne. Il aurait cherché de la plie et du flétan sur les bancs les plus improbables. Il aurait harcelé les fonctionnaires jusqu'à ce qu'ils lui accordent une autre subvention ou un autre permis.

Il avait préféré laisser son bateau à côté de sa maison. La *Marie-Guillaume*, campée sur sa vague de foin, était le symbole de sa rage et de son impuissance. Le soir, au lieu de se coucher à neuf heures pour appareiller à la pointe du jour, il allait boire ses derniers chèques avec ses amis d'infortune, pour la plupart de vieux garçons terrorisés par la vue d'un jupon. Il rentrait à trois heures et réveillait son fils par ses pas approximatifs dans l'étroit escalier de son arrière-grand-père Honoré.

Guillaume fit claquer la porte à moustiquaire. Une odeur de café le réconforta : son père avait peut-être recommencé à se lever le matin. Guillaume pénétra en coup de vent dans la cuisine et tomba sur une jeune femme blonde, d'au plus vingt-quatre ans, dont les seins pointaient sous le t-shirt du « Festival des Acadiens » de son père.

— Qu'est-ce que vous faites ici ?

Il fut surpris par la rudesse de son ton.

La jeune femme le fixait de ses yeux dilatés, d'un bleu de ciel d'église, comme s'il eût été Belzébuth en personne.

— Du café.

Sa voix était douce, presque enfantine. Une tasse fumante dans chaque main, elle s'apprêtait à remonter à l'étage.

— Tu en veux ?

— Non.

La jeune femme et Guillaume demeuraient plantés au milieu de la cuisine.

— Merci, ajouta Guillaume sur un ton sarcastique.

Elle émit un rire frais et inclina la tête sur son épaule.

— Tu es le garçon d'André ?

— On ne peut rien vous cacher.

— Je m'excuse. André ne m'avait pas dit qu'il avait un fils. J'aurais fait attention.

— Ce n'est pas grave.

— Je m'appelle Rosaline.

— Guillaume.

— Tu es sûr que tu ne veux pas de café ?

— Sûr. Salut.

Tournant le dos à l'apparition, il grimpa dans sa chambre et claqua la porte derrière lui. Une boule de colère flambait dans sa poitrine. Il s'était attendu à ce que son père fréquente des femmes. Il n'avait pas prévu trouver un matin une nymphe en t-shirt, à peine plus âgée que lui, en train de faire du café avec la cafetière que sa mère avait offerte à son père deux Noël auparavant.

Il se regarda dans le miroir. Il était écarlate. Des larmes hésitaient au coin de ses paupières. Il s'assit sur son lit et lança un gant de baseball contre le mur de la chambre de son père.

Il regretta son geste. La violence de ses sentiments le désarmait. Il se coucha sur son lit et respira profondément. Silencieux, il laissa les larmes dévaler le long de ses joues et humecter le lit défait. Tant que son père avait levé le nez sur les avances des esseulées du canton, ou tant qu'il avait tenu ses aventures secrètes, Guillaume avait gardé l'espoir de voir ses parents se réconcilier. S'il comprenait que son père ne puisse se faire moine à trente-sept ans, il n'en ressentait pas moins son aventure comme une trahison. Savoir qu'une étrangère, fût-elle jeune, blonde et sympathique, était couchée à quelques pas de lui, dans le lit où il s'était tant de fois glissé entre ses parents, l'enrageait.

Il descendit l'escalier sur la pointe des pieds et sortit. Il monta dans la *Marie-Guillaume* par l'échelle de bois clouée à sa lisse.

Il ouvrit la porte coulissante et pénétra dans la timonerie. L'odeur d'essence, de bois et de peinture le calma. Il aimait le bateau de son père, ses hublots bordés de caoutchouc, sa boussole suspendue dans son socle, ses instruments aux cadrans bordés de cambouis. Il caressa du doigt la roue de chêne patiné, cerclée de cuivre, héritée de son grand-père, lui fit faire trois quarts de tour. À l'arrière, le gouvernail grinça. Plus jeune, Guillaume n'avait jamais douté qu'un jour, il installerait la roue dans son propre bateau. La chose lui semblait moins probable aujourd'hui. L'avenir des pêches était sombre. Son père le poussait vers les études et lui déconseillait de suivre sa trace.

Il descendit dans la cabine et s'allongea sur une couchette. La *Marie-Guillaume* avait dix ans. Nathaël Cormier l'avait construite un hiver dans son hangar. Il l'avait faite en bois, à la façon d'autrefois. Chaque jour, au retour de l'école, Guillaume parcourait les deux cents mètres qui le séparaient du chantier. Au début, il n'y eut qu'une arête de chêne. Bientôt s'y greffèrent des membres qui dessinèrent dans l'air fumeux de l'atelier un squelette de dinosaure. Puis on borda, calfata, ponta, installa le moteur et monta la cabine. André Cormier aidait à l'ouvrage et veillait à tous les détails, débordant d'énergie, heureux, déjà ivre à l'idée de piloter son joujou dans le golfe.

— Comment tu vas l'appeler ?

Le hangar était le rendez-vous des vieux du village. Ils tiraient sur leur pipe ou sur un madrier, donnaient leur avis sur la construction, la politique ou le temps, balayaient le plancher et rangeaient les outils, heureux d'être utiles.

— La *Marie-Guillaume*, répondait André Cormier.

— Mais t'as rien qu'un Guillaume !

— La Marie devrait venir.

Guillaume le savait. Ses parents parlaient depuis longtemps d'avoir un autre enfant. Ils ne doutaient pas que ce serait une fille. Pour une raison inconnue, ils ne pouvaient jamais se mettre d'accord sur le moment de la conception. Les choses n'allaient pas toujours bien entre eux. De saison en saison, d'année en année, la petite Marie s'était fait attendre. À douze ans, Guillaume vit sa mère partir un matin pour l'hôpital et en revenir avec deux petites cicatrices et un gros mal de cœur. Il n'aurait de petite sœur que peinte en lettres rouges sur l'étrave du bateau de son père.

Guillaume ouvrit un hublot. Une bouffée de vent salin vint rafraîchir l'habitacle. Il avait eu raison de venir à son refuge. Il se sentait mieux et devenait même sensible aux aspects comiques de sa rencontre avec Rosaline. Si ça pouvait faire du bien à son père...

Guillaume avait pourtant mieux à faire. Il sortit la croix et l'examina avec attention.

Wm   on e an an o dom ni   770

OαLILH2JONG19PΩ

D'après ce qu'il pouvait en juger, les deux séries d'inscriptions avaient été gravées à des époques différentes. La première série semblait plus facile à déchiffrer, les mots étant nettement séparés par des espaces. Le « Wm » évoquait le prénom William. Il revoyait une vieille enseigne exposée au Café : *Wm Habbib and sons*.

Le deuxième groupe était probablement un nom de famille de huit lettres amputé de ses première, quatrième et sixième composantes.

_ o n _ e _ an

Guillaume éplucha systématiquement l'alphabet. Les possibilités étaient multiples. Pendant plus d'une heure, il fit des essais, des permutations et noircit des pages du papier quadrillé humide qui traînait depuis l'été précédent dans la *Marie-Guillaume*. Il ne put qu'arriver à la conclusion que le mystérieux William, si William il y avait, portait un nom qui semblait d'origine anglaise.

Les troisième et quatrième groupes de lettres, quant à eux, étaient en latin, ce qui n'arrangeait pas les choses. Les trois derniers chiffres, « 770 », devaient être précédés d'un 1.

1770... À cette époque, les Îles-de-la-Madeleine n'étaient habitées que par quelques réfugiés acadiens qui pêchaient la morue et chassaient la vache marine pour le compte de Richard Gridley. La croix remontait-elle à des temps si anciens ? Elle valait peut-être une fortune, surtout si elle conduisait, comme il se prenait à le rêver, à un trésor.

Une fortune... Un trésor... Imbécile ! Les trésors n'existaient que dans les livres. De temps à autre, un aventurier, déjà millionnaire, écumant les Caraïbes dans un bateau équipé d'ordinateurs et de scanners, découvrait l'épave d'un galion et en remontait un peu d'or, de quoi faire un film qui lui rapportait davantage que la cargaison. Pourquoi lui, Guillaume Cormier, un fils de pêcheur de Havre-Aubert, rêvait-il de trouver un trésor ? Pourquoi était-il fasciné par l'idée de découvrir, par son seul génie et après mille embûches, un coffre débordant d'or et de pierreries ? Pour conquérir la gloire ? Pour déjouer le destin ?

Couché dans la cabine du bateau désœuvré, Guillaume n'avait pas de réponse à ces questions. Peut-être avait-il enfoui dans son enfance quelque chose de précieux, dont il ne pouvait se souvenir, mais qui scintillait comme la croix d'argent sous le sable des années ?

4

TOUT LE MONDE
SERA PLUS HEUREUX

Guillaume Cormier fut arraché à ses méditations par les tiraillements de son estomac. Midi et demi. Il devait se dépêcher de dîner s'il voulait trouver le père Turbide au musée en début d'après-midi.

Il rangea la cabine et gagna la maison. La sirène était-elle toujours au logis ? Des bruits de vaisselle et des échos de musique country l'accueillirent dans le tambour. Retenant son souffle, il pénétra dans la cuisine. Son père, en sandales et en jeans, ses cheveux frais lavés dégouttant sur le col de son t-shirt, essuyait des casseroles avec la mine fripée et heureuse des gens qui ont passé la nuit en agréable compagnie. Sur la cuisinière, un chaudron répandait l'odeur de sa célèbre soupe au *barley*.

— Aie pas peur, dit André Cormier sans se retourner. Elle est partie.

Guillaume accrocha sa casquette à la patère et s'assit à sa place habituelle face à la fenêtre. Entre les deux couverts, son père avait disposé le centre de table comme le faisait Élise : le beurrier, le sucrier, la salière et la poivrière, un pot de marinades maison (le dernier), le pain, les petites cuillères dans leur tasse de céramique, le ketchup, le tout recouvert d'un linge à vaisselle propre. Du temps de sa mère, la table était toujours mise. Quand il rentrait tard d'une sortie, ou qu'il s'amenait l'après-midi avec Jean-Denis après une virée au large, il n'avait qu'à se servir.

Sans dire un mot, il s'attaqua au pain laissé en pâture devant son assiette. Son père apporta deux bols fumants et s'assit au bout de la table, d'où il pouvait voir en enfilade la butte chez Marie-Anna, la Grave, le havre, le quai des pêcheurs et le Bout du Banc.

— Tu peux sortir avec qui tu veux, prononça Guillaume d'une voix rogue. C'est pas de mes affaires.

André Cormier leva sur son fils ses yeux d'un bleu de jean usé, rapprochés sous des sourcils roux. Sa crinière était plus pâle, couleur de foin d'automne, mêlée de plus en plus de fils blancs depuis qu'Élise n'était plus là pour les arracher un à un avec une petite pince.

— Tu t'imaginais pas que j'allais attendre ta mère jusqu'à ma retraite ?

— Me semble que tu vieillis vite.

André Cormier sourit. Il fit jouer ses avant-bras musculeux et saisit une tranche de pain. Sa main large, épaisse, aux jointures noueuses, étonnait chez un homme de sa stature. Il avait appris le métier à la dure. Dès l'âge de treize ans, mousse sur le bateau de son père, il avait passé ses étés à la morue et au maquereau. À seize ans, il avait quitté l'école. Son idée était faite : il serait pêcheur. Sa mère n'avait pu le convaincre de poursuivre ses études et d'aller dans les écoles de marine d'en dehors chercher ses papiers de capitaine. Piloter le traversier ou un de ces cargos qui ramonait le Saint-Laurent, aller et retour, comme des pistons dans un cylindre ? Pas question ! Lui, André Cormier, aurait un jour son bateau et ferait sa pêche, à sa façon, seul maître à bord après Dieu, sans patron et sans uniforme !

— Tu as raison, concéda-t-il. Élise est partie depuis trois mois et j'ai l'impression d'avoir pris dix ans.

— C'est pour ça que tu les prends jeunes de même ?

— Tu es jaloux ?

Guillaume prit le temps de réfléchir. Il n'osait lever les yeux de son assiette de peur de rompre le charme. Il ne savait pas ce que Rosaline avait fait à son père, mais c'était la première fois qu'ils se parlaient réellement tous les deux.

— C'est une belle fille.

— C'est rien de sérieux. J'ai pas envie de m'embarquer dans une histoire. Je vais dire comme l'autre : « Je suis en cale sèche. »

— Tu as beau être en cale sèche, tu pourrais mettre ton bateau à l'eau.

— Avec ma pêche, je pourrais même pas payer les assurances.

Guillaume se retint de protester. Il se leva et se servit une autre assiettée de soupe.

Il revint s'asseoir.

— Papa ? Il y a quelque chose que tu m'as pas vraiment dit.

André Cormier se taisait. Il savait que le jour où il abaisserait sa garde, il aurait à affronter la question.

— Pourquoi Élise est partie ?

— Je ne sais pas.

— Après trois mois, tu devrais commencer à avoir une idée ?

André Cormier regarda par la fenêtre. Le chagrin que lui avait causé le départ de sa femme, loin de se dissoudre avec les semaines, s'était cristallisé en un paquet noir, compact, qu'il avait abandonné, après l'avoir examiné sous toutes les coutures, dans un coin retiré de sa tête.

— Tu le lui demanderas. Elle doit connaître les raisons.

— Elle ne t'en parle pas dans ses lettres ?

— Elle me parle des pays qu'elle visite.

Trois semaines après la fuite de son épouse, André Cormier avait été surpris de recevoir une longue missive dans laquelle elle lui décrivait en détail la cathédrale de Chartres et lui faisait un cours d'histoire sur La Rochelle. Il avait cherché frénétiquement à deviner ses états d'âme entre les lignes de son écriture sinueuse, torturé par l'impression qu'elle ne voyageait pas seule, qu'un homme, un de ces jeunes Européens cultivés qui s'égaraient parfois aux Îles, se penchait sur son épaule pour déchiffrer ce qu'elle lui racontait.

Pourquoi s'acharnait-elle à lui envoyer toutes les deux semaines une lettre où elle n'abordait pas les raisons de sa fuite? Il devait lutter contre l'impression qu'elle était seulement partie en vacances. Dans le message qu'elle lui avait laissé le matin de son départ, n'avait-elle pas écrit que tout était fini et qu'elle voulait divorcer?

— Tu crois qu'elle va revenir?

— Non.

Guillaume baissa la tête. Il n'avait plus faim. Quand sa mère les avait quittés, elle avait laissé sous son oreiller, comme la Fée des dents, une simple feuille pliée en trois, dont il connaissait le contenu par cœur.

Je m'en vais parce que j'ai besoin d'air. Je suis certaine que tu es assez grand pour comprendre. Prends soin de ton père. Je reviendrai dans quelques mois. Tout le monde sera plus heureux.

Tu seras toujours mon grand,

Élise

Oubli ? Stratégie ? Sa mère n'avait pas pris soin de préciser si elle reviendrait à la maison ou ailleurs aux Îles. « Tout le monde sera plus heureux »... Le grand à sa maman ne trouvait pas cela évident. Il avait beau être raisonnable, bien élevé, il n'aimait pas beaucoup se retrouver seul à dix-sept ans avec un père à marée basse. Les paysages provençaux ou italiens des cartes postales d'Élise éveillaient en lui plus de colère que de ravissement.

— Moi, je pense qu'elle va revenir, affirma-t-il en fixant son père droit dans les yeux. Elle m'a dit qu'elle avait besoin d'air.

Cuillère en l'air, André Cormier observait le regard furieux de son fils, ses lèvres qui frémissaient à l'approche des larmes. Une nouvelle fois, il devait accepter la douloureuse évidence : Guillaume le considérait comme responsable du départ de sa mère. À ses yeux, Élise ne pouvait avoir tort. Guillaume n'aurait de repos que lorsqu'il aurait découvert la raison profonde de leur séparation. Dans ce procès, il ne pouvait tenir qu'un rôle, celui d'accusé.

André Cormier se leva. Après le départ de sa femme, il s'était promis d'éviter de la noircir aux yeux de son fils. Il avait vu trop d'enfants déchirés entre les accusations contradictoires de leurs parents séparés.

— Écoute... commença-t-il en se servant du thé. Élise et moi, nous nous sommes connus très jeunes. Elle avait dix-neuf ans quand elle est devenue enceinte de toi. Ensuite, il y a eu la maison, le bateau. Élise n'a jamais eu de vie de jeunesse. Elle n'a jamais couché avec un autre homme que moi.

— Qu'est-ce que tu en sais ?

André Cormier resta un instant bouche bée devant le culot de son fils.

— Elle me l'aurait dit.

— Tu es sûr ?

— Sûr. Je savais qu'un jour elle partirait. Aujourd'hui, une femme ne passe pas toute sa vie avec un seul homme.

— Et toi ?

— Quoi, moi ?

— Tu as couché avec d'autres femmes ?

— Ça m'est arrivé.

— Élise le savait ?

— Non. Je pensais que je n'étais pas obligé de le lui dire. Je l'aimais. J'avais l'impression que ça ne changeait rien.

Quand elles aiment un homme, les femmes lui sont fidèles. Quand c'est fini, elles le quittent ou se mettent à le mépriser.

— Élise l'a su.

— Non. On s'est séparés tranquillement, comme deux planètes dans l'espace. On essayait de se rattraper, mais notre amour était usé.

— Usé !

— Usé. L'amour, ça s'use, comme une table, une auto, un bateau. C'est rare que ça dure toute la vie.

Guillaume était horrifié.

— Il y a des gens qui restent ensemble et qui sont heureux !

— J'imagine qu'ils font beaucoup d'entretien.

— Tu n'as pas répondu à ma question. Pourquoi Élise est-elle partie ce jour-là, comme une voleuse ?

— Je ne sais pas. Elle venait d'avoir trente-six ans. C'est l'âge qu'avait sa mère quand elle est morte.

L'évocation de sa grand-mère Clotilde Vigneau, décédée d'une tumeur cérébrale, n'apporta aucune lumière à Guillaume. Il se leva de table, l'air dégoûté, rinça son assiette et s'apprêta à sortir.

— Où tu vas ?

— Au musée.

Il claqua la porte. Son père, muet, le regarda s'éloigner sur sa bicyclette. Il n'avait pas trouvé les bons mots. Il alla au salon mettre de la musique.

> *Mon histoire d'amour*
> *Que j'vais vous conter*
> *A pas duré des années*

Dans l'armoire à gauche du réfrigérateur, la bouteille de gin était aux trois quarts vide. Il hésita, puis s'en versa un fond qu'il baptisa au robinet. Le souvenir de Rosaline, ses membres graciles, ses rires d'enfant se fondaient déjà dans la grisaille de sa vie des derniers mois. Au milieu de la brume, réveillée par les échos des chansons qu'ils avaient chantées ensemble au temps de leurs nuits blanches, ne surnageait que l'image de son Élise bien-aimée.

On lui assurait que les chagrins d'amour ne duraient pas toute la vie. Terré dans son salon, le verre à la main, dans la splendeur lumineuse de la belle journée de juillet, André Cormier n'en était pas certain.

Il regarda son bateau par la fenêtre. Son fils avait raison. Il aurait dû le mettre à l'eau, ne serait-ce que pour aller virer le dimanche à l'île d'Entrée, comme les riches de Cap-aux-Meules.

5

L'IRLANDAIS D'ARICHAT

Le vent d'ouest, discret le matin, hérissait la baie de Plaisance qui scintillait sous le soleil d'après-midi. Le fond de l'air était doux, chargé des odeurs des pissenlits, des boutons-d'or, des trèfles qui foisonnaient dans l'herbe blonde. De fins nuages s'étiraient sur l'horizon. À l'est, les falaises de grès rouge de l'île d'Entrée se dressaient contre le ciel. Guillaume Cormier, dévalant la côte du Palais de justice, oublia sa conversation avec son père et observa avec la sagacité d'un jeune connaisseur les signes annonciateurs de beau temps. Si ce vent tenait, l'été s'installerait pour de bon.

Et si ce vent tenait, Aude arriverait bientôt. Il fouilla le havre : aucune trace de la coque grise du *Nirvana*. Pierre

Brousseau, prudent, avait attendu que le vent d'ouest se stabilise avant de quitter Gaspé.

Ce n'est qu'en arrivant au sommet du cap Gridley que Guillaume réalisa qu'il n'avait même pas parlé de la croix à son père.

Le musée était calme. Quelques visiteurs erraient dans les salles. Guillaume trouva le père Turbide dans son bureau.

Le directeur du musée était un homme de soixante ans, bâti comme un cap, qui arborait une abondante crinière argentée. Chaque matin, il levait des haltères dans sa cave. Selon la rumeur, il avait ravagé quelques cœurs en endossant la soutane. Encore aujourd'hui, les veuves qui papillotaient autour de l'église se désespéraient du célibat d'un si beau gibier. On chuchotait qu'un prêtre ne prenait pas tant de soin de sa personne sans avoir une maîtresse cachée quelque part... Des noms circulaient, mais leur abondance était la preuve même de leur fausseté.

— Te voilà ! Berthe m'a dit que tu me cherchais.

Le bureau était une grande pièce ensoleillée, ornée de marines et de cartes anciennes, où flottait une odeur sucrée de tabac à pipe hollandais. Dans un coin, face aux grandes baies, trônait un bureau orné d'un sous-main et d'une étagère de bois verni dans laquelle le religieux classait son courrier.

Guillaume prit place sans aucune gêne dans un des fauteuils de chêne que le prêtre avait récupéré lors de la démolition du presbytère.

— Tu as les yeux brillants, observa le père Turbide en ranimant sa pipe.

Au fil des années, une amitié s'était développée entre le prêtre et l'adolescent. Guillaume avait d'abord été l'enfant curieux qui passait les tourniquets entre les jambes des touristes et s'extasiait devant les maquettes de navires. Plus vieux, il avait rendu de petits services, porté des messages, désherbé les plates-bandes. Il posait des questions, surtout sur les naufrages. De temps à autre, le père Turbide lui ouvrait son fichier de navires. Classés par noms dans des chemises bourrées de papiers disparates, des vaisseaux de toutes les tailles et de toutes les époques défilaient dans son imagination. Tonnages, armateurs, lieux de construction, ports d'attache, types de cargaison, circonstances du naufrage, tout était consigné avec un soin monacal. Des noms de ville, Liverpool, Boston, Saint-Malo, Québec, Amsterdam, Halifax, Dublin, Glasgow, Lunenburg, déposaient leurs harmoniques dans ses rêveries. Il imaginait des ports bruyants, bordés de tavernes, encombrés de ballots, d'émigrants et de charrettes, où des marins à la mine patibulaire braillaient des injures dans les vergues et les haubans.

Plus tard, quand il avait commencé à faire de la plongée, Guillaume avait rapporté ses trouvailles au curé, qui les triait selon leur mérite. Mais jamais il n'avait découvert d'objet aussi étrange et aussi précieux que la croix d'argent.

— Regardez.

Guillaume ne pouvait tenir sa langue plus longtemps. Il sortit la croix de sa poche et la déposa sur le sous-main, avec une fierté de labrador.

Le père Turbide écarquilla ses yeux bleus, fit « Hum ! » de sa voix de basse et se pencha pour examiner la découverte. Il déposa sa pipe de travers sur le bureau. Guillaume la remit dans le cendrier.

— Il y a des inscriptions de l'autre côté, précisa-t-il en se plaçant derrière l'épaule du prêtre.

La respiration du père Turbide se fit courte, oppressée. Guillaume l'avait déjà observé : quand le prêtre découvrait un objet ancien ou un fait inconnu, il était aussi troublé que s'il avait trouvé une femme nue dans sa sacristie.

Le père Turbide retourna la croix et déchiffra les caractères.

Wm   on e an an o dom ni   770

Pendant quelques instants, il fronça les sourcils. Son esprit travaillait furieusement.

— La croix de l'abbé Donnegan !

— Qui ?

— Cela saute aux yeux !

Prenant une feuille de papier, le prêtre écrivit de sa grande écriture rageuse :

WM DONNEGAN ANNO DOMINI 1770

— Allons vérifier.

Il se leva et entraîna Guillaume dans une salle consacrée aux prêtres qui avaient marqué l'histoire des Îles-de-la-Madeleine. Sur les murs, une série de visages exsangues, disposée par ordre chronologique, faisait état des progrès de la photographie.

Aucun portrait, aucune image ne rappelait le souvenir des premiers missionnaires. Ils n'étaient représentés que par de petites plaques dorées qui portaient leur nom, quelques dates, une ou deux phrases sèches où était momifiée leur existence.

Le père Turbide s'arrêta devant la deuxième plaque, poussa un « Hum ! » de satisfaction et lut :

— William Donnegan, ordonné en Irlande en 1770. Il était curé d'Arichat, au Cap-Breton. Il a visité les Îles-de-la-Madeleine entre 1776 et 1792. Il a probablement tenu un registre, mais celui-ci a été perdu dans l'incendie du presbytère d'Arichat en 1838.

Au-dessus de la plaque, dans une niche vitrée, un livre enluminé exhibait de vieux caractères anglais.

— Qu'est-ce que c'est ? demanda Guillaume.

— C'était un livre qui lui appartenait. Des tragédies de Shakespeare. Je l'ai obtenu du musée d'Antigonish en échange d'une ancre.

— D'une ancre !

— J'en ai cinq ou six dans la cave. Ça peut toujours être utile.

Déjà le prêtre retournait à son bureau et se replongeait dans l'examen de la croix.

— Il y a une chose que je ne comprends pas, murmura Guillaume. Pourquoi sa croix se trouvait-elle en bas du cap ?

— Aucune idée. Il a peut-être fait naufrage. Au fil des siècles, il se produit parfois des événements qu'il est impossible de comprendre par la suite.

— Et l'autre inscription ?

OαLILH2JONG19PΩ

— Je ne sais pas. Cela ressemble à un code.

— Deux lettres sont déformées.

— C'est du grec. Le « a » à deux branches, c'est *alpha*. Le fer à cheval, c'est *omega*. L'alpha et l'omega. Le début et la fin. La première et la dernière lettre de l'alphabet grec. Il faudra essayer de déchiffrer cela.

— Où c'est Arichat ?

— C'est à l'embouchure du détroit de Canso qui sépare l'île du Cap-Breton du reste de la Nouvelle-Écosse. Il y avait beaucoup de communications entre

Chéticamp, Arichat et les Îles après la Déportation.

Le prêtre prononçait ces précisions d'une voix distraite, absorbé dans la contemplation de la croix.

— Il faut que je montre ça à M. Bourque! M. Bourque!

Guillaume sur ses talons, le père Turbide sortit du bureau, passa près de renverser une touriste en fauteuil roulant, s'excusa et fit irruption dans la salle de généalogie. Un petit homme rond, le visage poupin sous une couronne de cheveux blonds bouclés, suait au milieu d'une forêt de registres.

— Regardez la trouvaille que m'amène mon jeune ami!

L'homme leva vers Guillaume des yeux de myope. Derrière une paire de lunettes dont une branche était retenue par une bande de ruban adhésif, ses paupières rougies par une inflammation chronique enchâssaient des iris d'un vert très pâle, presque jaune. Guillaume eut l'étrange impression de le voir à travers une vitre d'aquarium.

M. Bourque saisit la croix de ses doigts boudinés. Il la retourna. Guillaume ne pouvait s'y tromper : les nageoires du petit homme tremblaient.

— Regardez ces inscriptions, s'écria le père Turbide. La croix de l'abbé Donnegan ! Nous avons trouvé la croix de l'abbé Donnegan !

Attirée par l'envolée du curé, une dame du Club de l'Âge d'or de Coaticook passa le nez dans l'embrasure de la porte. Guillaume se précipita, la repoussa en retenant un sacre et referma le battant.

— Vous êtes sûr ? demanda M. Bourque d'une voix douce.

Il parlait un français cassé, aux voyelles pointues.

— Regardez l'inscription : *Wm Donnegan anno domini 1770 !* Rien de plus clair !

Le père Turbide ne portait plus à terre. Il se tourna vers Guillaume.

— Je te présente M. Wilfred Bourque. Il fait des recherches en généalogie. Il est membre émérite de la *Massachusetts Historical Society*. Son arrière-grand-père était un Bourque des Îles.

Le chercheur-poisson, absorbé dans l'examen de la croix, pencha la tête et esquissa un sourire crispé de participant à un débat télévisé. Il avait délaissé l'inscription principale et commençait à transcrire le message codé sur une feuille de note.

Sans réfléchir, Guillaume tendit le bras et lui arracha la croix. L'Américain, surpris, arbora de nouveau son sourire obséquieux. Il croisa ses doigts et écouta la tirade du père Turbide, qui n'avait pas remarqué l'incident.

— Quand il venait aux Îles, l'abbé Donnegan logeait chez Louis Boudreau, l'agent du seigneur Coffin. Ce Boudreau s'occupait de la chapelle et faisait office de prêtre en l'absence du missionnaire. Suivez-moi !

Entraînant Guillaume et Wilfred Bourque à sa suite, le directeur du musée traversa de nouveau le corridor et les guida vers une salle gardée par un fragment de proue de goélette. À l'intérieur, ils découvrirent des meubles d'époques diverses, certains datant des années trente, d'autres du début de l'établissement aux Îles. Sans se formaliser de la présence des visiteurs, le père Turbide marcha jusqu'à une table en bois.

— Cette table provient de la maison de Louis Boudreau. Ensuite, elle a été la propriété de sa fille Geneviève puis du père Charles-Nazaire Boudreau, le premier prêtre natif des Îles. Qui sait ? Peut-être l'abbé Donnegan a-t-il mangé à cette table, en arrivant en barque du Cap-Breton ?

Guillaume avait remis la croix dans sa poche. Il regardait la table grossière, marquée d'inscriptions au couteau. Il imagina un homme roux, d'allure massive, notant le soir de sa belle écriture, à la lueur d'une chandelle, les mariages et les baptêmes célébrés pendant la journée. Si cette table avait pu parler, qu'aurait-elle raconté ?

Le père Turbide les mena ensuite près d'une petite cloche de bronze patinée.

— La cloche de la première chapelle de Havre-Aubert. Elle a été remplacée par une autre, plus puissante, quand le père Charles-Nazaire a fait bâtir la vieille église.

Le chercheur américain, ennuyé par les discours du père Turbide, s'éclipsa en disant qu'il devait retourner à son travail. Le prêtre prit Guillaume par l'épaule et le remorqua vers son bureau.

— Tu as fait une découverte importante, Guillaume. Montre-la-moi encore.

Guillaume remit la croix au curé, qui s'assit dans son fauteuil en la soupesant entre ses doigts.

— Je te remercie de me l'avoir apportée. Nous trouverons un endroit pour la mettre en valeur.

La gorge sèche, Guillaume sentit son cœur cogner comme une cargaison mal arrimée.

— Excuse-moi, père Turbide... La croix est à moi.

Sa voix était douce mais ferme. Le prêtre fit peser sur lui, pendant d'interminables secondes, son regard le plus bleu et le plus autoritaire.

— Tu réalises que cette croix a une valeur historique considérable ?

— Oui.

— Tu comprends qu'elle apporterait au musée, à tout Havre-Aubert, du rayonnement et du prestige ?

— Oui.

Comme aux moments cruciaux de ses sermons, le père Turbide laissa planer un silence aussi dense qu'une brume d'avril.

— Je l'ai trouvée au fond de la mer. Laissez-la-moi. Je vous la donnerai un jour.

Le prêtre réprima un mouvement de frustration.

— Hum !... C'est comme tu veux...

Passant sa main dans ses cheveux argentés, le père Turbide congédia Guillaume, qui sortit du musée sans saluer sa cousine en train de tricoter derrière le guichet.

6

AUDE

Guillaume pédala jusqu'au Café. L'intérêt qu'avaient porté le père Turbide et l'étrange M. Bourque à la croix confirmait ses intuitions : il avait mis la main sur un objet tout à fait mystérieux. L'esprit en feu, il entra dans le restaurant bondé. Jean-Denis, juché sur une chaise, accrochait des guirlandes en vue de la fête du soir.

— Tu viens te baigner ?

Son t-shirt trop court découvrant un bourrelet, Jean-Denis Painchaud baissa les yeux vers son oncle, qui le libéra de sa tâche.

Les deux amis se donnèrent rendez-vous cinq minutes plus tard. Chez lui, Guillaume mit la croix en sûreté dans sa cachette habituelle, au fond de la garde-robe. Il enfila son maillot et retrouva Jean-Denis devant le bureau de poste.

Serviette sur les épaules, ils roulèrent jusqu'au Sandy Hook. Des cohortes de touristes avaient pris d'assaut la plage. Le vent d'ouest courbait le foin de dune et frisait les vagues qui s'abattaient sur le sable durci.

Jean-Denis poussa un soupir de plaisir à la vue de la foule.

— Enfin l'été!

Ils déposèrent leurs serviettes près d'un îlot de citadins. À sa périphérie, deux adolescentes, baladeur sur les oreilles, s'ennuyaient ferme. Jean-Denis les reluqua.

— Tu perds ton temps, railla Guillaume. Je t'ai dit de maigrir.

— Ce n'est pas l'enveloppe qui compte, répliqua Jean-Denis en rentrant la panse. C'est le cerveau.

— Premier à l'eau!

Aiguillonnés par le voisinage des sirènes, ils traversèrent en courant la plage. Leurs pieds faisaient crisser le sable semé de couteaux et de coquilles de moules. Ils se jetèrent sans broncher dans les eaux glaciales du golfe. Le souffle coupé, les membres engourdis, ils barbotèrent un instant dans les vagues cassantes puis nagèrent jusqu'au premier platier. À mi-jambes dans le courant qui les attirait vers le large, ils marchèrent un moment au milieu des éclats argentés qui les éblouissaient avant de nager vers la plage et de retourner se coucher, frissonnants, sur leurs serviettes.

Jean-Denis glissa un regard de côté. Les sirènes ne semblaient pas impressionnées.

— J'ai montré la croix au père Turbide tout à l'heure, dit Guillaume.

— Quelle croix ?

Jean-Denis avait déjà oublié leur découverte. Guillaume lui rapporta sa visite au musée.

— J'y retourne ce soir. Je veux voir ce livre de Shakespeare.

— Ce soir ? C'est fermé.

— C'est pas un problème.

— Qu'est-ce que tu penses trouver ? Le plan du trésor ?

— Tu viens avec moi ?

— Ciboulette ! De quoi se faire ramasser par la police !

— Peureux, Painchaud !

Guillaume se retourna vers la mer. Poussées par la marée montante, les vagues venaient saper les châteaux des enfants. À sa gauche, devant la silhouette tremblante de l'île d'Entrée, quelques bateaux rentraient de la pêche au maquereau.

Une voile accrocha son regard droit devant. Son cœur se mit à battre. Il n'y avait pas de doute. Le voilier qui glissait vent arrière vers la passe de l'île d'Entrée, le spi gonflé comme un ventre de femme enceinte, était le *Nirvana*. Il reconnut la coque grise, le fleurdelisé à la poupe, le renflement du radar au bout du mât.

Il se leva et attrapa son linge en vitesse.

— Où tu vas ? demanda Jean-Denis.

— Je retourne au Havre.

Jean-Denis regarda au large et aperçut le bateau des Brousseau.

— Je comprends ! Ta dulcinée arrive !

— Ma quoi ?

— Ta dulcinée. Je t'expliquerai.

— Tu viens ?

— Je ne veux pas te déranger...

Guillaume traversa les dunes, retrouva sa monture et pédala à un train d'enfer jusqu'au quai des plaisanciers. Il sauta dans le *Par là-bas*, hissa la grand-voile et gagna le chenal. À la dernière bouée, il monta au vent et sortit le foc. Il quitta le havre, toutes voiles dehors, l'eau bouillonnant sous la coque, en direction du Bout du Banc.

Il avait connu Aude Brousseau l'été précédent. Depuis quatre ans, son père, sa sœur aînée et elle venaient chaque été s'ancrer un mois à Havre-Aubert. La première fois, la mère faisait partie de l'équipage. Pierre Brousseau avait dû, après sa séparation, entraîner ses filles à l'art de la navigation.

Guillaume pouvait se vanter de reconnaître à cinq cents mètres tous les voiliers des Îles. Il observait avec passion l'arrivée des bateaux du continent. Dès qu'un quillard s'amarrait au quai, il s'amenait pour l'examiner. Sa fierté et sa réserve le tenaient à l'écart des étrangers. Il imitait ainsi, sans en être conscient, l'attitude de son père et de la majorité des pêcheurs de métier, qui regardaient les plaisanciers, avec leurs cirés signés, leurs pilotes automatiques et leurs termes de marine *à la française*, avec un amusement proche du mépris.

Pendant trois étés, il avait vu les sœurs Brousseau se mêler avec une familiarité grandissante à la vie de la Grave. L'aînée, Madeleine, frôlait la vingtaine, fumait des

Gauloises et déclenchait chaque été des passions volcaniques chez des jeunes gens qui se ressemblaient étrangement : ils mesuraient au moins un mètre quatre-vingt-dix ; bassistes, techniciens du son, chanteurs de folkore, luthiers, ils gravitaient autour du monde de la musique ; ils étaient frisés (comme son père).

Sa sœur Aude était plus effacée. Elle traversait son âge ingrat avec une discrétion qui inquiétait son père. Solitaire, des yeux sombres tapis sous des sourcils proéminents, le teint foncé, le nez droit, les épaules légèrement voûtées pour faire oublier sa dernière poussée de croissance, elle ressemblait, sauf pour le caractère, à sa mère, une Côté du Lac-Saint-Jean. On la voyait traîner sur les buttes et dans les anses, curieuse des oiseaux, d'épais romans lui battant la hanche dans un petit sac d'armée décoré de fleurs au crayon-feutre.

Un matin de l'été précédent, son père s'était approché du *Par là-bas* et avait demandé à Guillaume s'il pouvait lui fournir des moules pour un souper qu'il donnait à bord de son voilier. Guillaume s'était présenté à l'heure dite, son baquet au bout du bras. Astiqué comme pour une régate, sa drisse de foc et sa bôme tendues de lumières blanches dans le crépuscule, le *Nirvana* semblait dormir dans une anse des Caraïbes. Verre de kir à la main, un couple de *baby-boomers* rougis par le soleil soutenaient une discussion savante avec le maître du bord.

Pierre Brousseau avait invité Guillaume à monter. La cinquantaine, des cheveux en broussaille, une barbe poivre et sel grignotant le rebord de ses verres fumés, le professeur d'université cachait sa vulnérabilité sous des dehors d'aventurier. Son pas dégingandé d'ancien hippie et son affabilité ne pouvaient faire oublier qu'il possédait un mélange enviable de savoir et de richesse.

Mal à l'aise dans son statut de livreur de moules, Guillaume avait failli refuser. Le visage d'Aude avait surgi par l'échelle de la cabine : il avait accepté une bière.

Deux autres convives s'étaient présentés. Madeleine était partie à un spectacle à Havre-aux-Maisons. Aude avait commencé à préparer les moules sous la supervision distante de son père. Guillaume avait fait mine de s'en aller.

— Tu peux visiter le bateau si tu veux, lui avait dit Pierre Brousseau.

Cœur battant, il était descendu dans la cabine. Aude lui avait souri. Ils avaient échangé leurs prénoms. Un barrage d'ondes les avait instantanément isolés dans une bulle romantique. Elle l'avait invité à l'aider à la cuisine, puis à manger. Il avait fait preuve d'un peu d'esprit. Son accent avait charmé tout le monde. Il était parti en promettant de revenir le lendemain pour une sortie en mer.

On était à la mi-août. Le festival acadien attirait à Havre-Aubert des masses de vacanciers qui s'étourdissaient une dernière fois avant le retour à la réalité. Le vent était plus frais, les jours plus courts. Une semaine plus tard, le *Nirvana* contournerait le Bout du Banc et mettrait le cap vers Québec.

Pressés par cette atmosphère mélancolique de fin de vacances, Aude et Guillaume avaient glissé dans une idylle d'autant plus facile qu'elle avait une fin prévisible. Le père d'Aude s'était pris d'affection pour son jeune équipier, qui passa bientôt ses journées à bord du voilier, à la barre et aux écoutes, buvant l'enseignement du professeur en qui il découvrait, contrairement à ses préjugés, un véritable navigateur. Madeleine, les yeux cernés par ses nuits blanches, vouait à Guillaume une amitié que la stature, l'absence de talent musical et les cheveux droits du jeune Madelinot dénuaient de contenu sexuel.

Le soir, couchés le nez en l'air sur le pont avant, Guillaume et Aude déchiffraient les constellations à l'aide d'un cherche-étoiles, s'envoyaient des messages en langage morse en se rappelant leur passé de jeannette et de louveteau. Elle resplendissait. Son père entendait ses rires, l'observait à la dérobée et paraissait soulagé de lui voir du talent pour le bonheur.

La séparation des amoureux avait été pathétique. Guillaume avait juré à Aude de lui rendre visite. Ils avaient échangé des lettres chaque semaine. Il avait participé à un concours scientifique dont le premier prix était un billet pour Québec ou Montréal. Un jour de février, il avait débarqué dans la capitale. Il avait exploré la vieille ville abandonnée par ses habitants aux hordes de fêtards du Carnaval. Dans la rue du Parloir, il avait trouvé le monastère des Ursulines. Derrière cette enceinte de pierre, sous ces toits argentés, Aude évoluait au milieu de ses pareilles, de grandes filles aux rires aigus qui dissimulaient maladroitement les séquelles de leur éducation.

Guillaume était invité à souper chez les Brousseau. Dans l'autobus, à l'approche du rendez-vous, il regretta d'avoir fait le voyage. Il était aussi à l'aise dans cette ville qu'un cachalot sur une grève. Malgré le ton tendre des lettres d'Aude, malgré l'enthousiasme qu'elle avait manifesté au téléphone à l'idée de le revoir, il appréhendait leurs retrouvailles.

Il n'était pas aveugle. À la maison, ses parents le regardaient partir vers le bureau de poste avec des sourires qui le faisaient enrager. Ils semblaient attendre l'inévitable désillusion. Leur attitude l'irritait et semait des doutes dans son esprit. On avait beau dire, vieillir devait servir à quelque chose. À la pêche, quand son père lui signalait un danger, celui-ci se manifestait, tôt ou tard. Pourquoi la vie serait-elle différente ? Aude l'avait connu en vacances, aux Îles, pendant sept jours où même le beau temps s'était montré complice. Que dirait-elle, dans son milieu, quand elle verrait débarquer en plein février son pêcheur de moules, la morve au nez, sans voilier et sans air salin ?

Il descendit boulevard René-Lévesque et enfila une rue sombre, bordée de maisons cossues et d'érables dont les branches glacées cliquetaient sous le vent. En vue de la demeure des Brousseau, il se moucha, mit sa tuque dans la poche de sa veste et se peigna. Puis il s'engagea sur le perron flanqué de colonnes.

Passé un moment de gêne, la réception d'Aude fut aussi chaleureuse que ses lettres. Le souper se déroula simplement, à une longue table de chêne ornée de couverts d'une rusticité désarmante. On parla beaucoup des Îles. Pierre Brousseau semblait soucieux et fatigué.

Pendant deux jours, Aude pilota Guillaume dans la ville. Place Royale, quartier Champlain, plaines d'Abraham, elle lui fit traverser, les joues blanches de froid, des siècles d'histoire qui lui laissèrent surtout le regret de ne pas avoir emporté ses bottes fourrées. Gourdes de caribou à la taille, les barbares saxons écumaient les rues en beuglant dans leur corne de plastique.

Aude et Guillaume montaient se réchauffer dans un café de la rue Couillard. Après six mois d'amour par correspondance, le jeune homme regrettait vive-

ment de retrouver son idole dans un con-
texte peu propice à autre chose qu'à des
baisers échangés dans des salles de
cinéma. Il sentait de toute façon que le
moment d'aller plus loin n'était pas venu.
Aude n'était pas ce genre de fille.

Leur principal sujet de conversation
était leurs prochaines vacances aux Îles.
Ils passaient des heures à détailler à
l'avance, comme des touristes affamés
devant un menu, les baignades et les sorties en mer que leur apporterait l'été. Il
ferait beau, il ferait chaud, ils pourraient
s'échapper incognito dans les dunes.

Guillaume était reparti. Les mois
avaient passé, découpés par le rythme
régulier de leurs lettres. Cent fois,
Guillaume avait imaginé le moment où
le *Nirvana* percerait l'horizon. Cent fois,
il s'était vu aller à sa rencontre, cheveux
au vent, et l'accueillir au large d'un
grand geste du bras.

Aujourd'hui, c'était vrai. Il filait vent
en poupe vers le Bout du Banc. De l'autre
côté du crochet de sable qui s'étirait vers
l'île d'Entrée, il apercevait entre les but-
tereaux la course parallèle du voilier des
Brousseau.

Le *Nirvana* était plus rapide que le petit quillard de Guillaume. Ils se rejoignirent à la sortie de la passe, au milieu des vagues qui moutonnaient sous la rencontre des courants. Aude, en bottes et en tricot de marin, rentrait le spi dans l'écoutille avant quand elle l'aperçut. Elle s'agrippa à un hauban et lui fit de grands signes de la main, plus forte et plus belle que l'été précédent.

Il se leva, coinça la barre entre ses cuisses aspergées d'embruns et lui répondit.

7

DEUX LIGNES SE COUPANT À ANGLE DROIT

Pierre Brousseau monta au près jusqu'aux abords du chenal, affala ses voiles et démarra le moteur. Le *Nirvana* glissa tranquillement dans le havre pendant que Guillaume, les fesses au ras des vagues, faisait du rappel en frôlant les bouées.

À quai, il attendit qu'Aude vienne le trouver. Il voulait qu'elle le découvre dans ses gestes de petit capitaine, serrant les voiles, fixant le gouvernail, verrouillant les écoutilles, vérifiant les amarres.

Il entendit des pas.

— Salut !

La tête souriante d'Aude se découpait sur le ciel au haut du quai. Elle avait laissé pousser ses cheveux depuis l'hiver. Séparés par une raie, ébouriffés par le vent du large, ils tombaient dru sur ses épaules, à la mode des années soixante-dix.

— Salut.

Elle sauta à bord et l'embrassa d'une façon nouvelle. Il était surpris. Elle avait changé.

— Tu viens au Café ? demanda-t-elle. Je meurs de faim.

Ils marchèrent jusqu'au ponton où était amarré le *Nirvana*. Après vingt-cinq heures de mer, Aude avait le pas un peu large. Son père, ses verres fumés vissés sur un nez luisant de crème, roulait ses écoutes.

— Madeleine n'est pas là ? remarqua Guillaume.

— Elle est à La Rochelle, expliqua Aude. Un joueur d'harmonica...

— C'est moins pire que le tuba, soupira son père.

Il semblait fatigué par la traversée. Ils retrouvèrent la terre ferme et entrèrent au Café. Pendant que le professeur renouait avec la faune des habitués, Aude et Guillaume prirent place à une table près du piano et commandèrent deux bols de café. Guillaume était fier de cette preuve d'intimité qui ferait taire ceux qui avaient passé l'hiver à sourire de sa fidélité à sa Juliette.

Aude tira un paquet de cigarettes de son sac de toile. Elle en alluma une avec des gestes d'experte et exhala une colonne bleue vers la lampe. Guillaume la regarda curieusement : il avait horreur de la nicotine.

— Tu fumes ?

— Ça te surprend ?

— Un peu.

— Ça me fait rêver. Je suis contente de te voir.

Elle se lança dans un récit enthousiaste de la traversée. Elle avait tenu la barre deux heures, la nuit, pendant que son père dormait. Elle parla des étoiles et des lames sous le ciel sans lune, du cargo qui les avait croisés à moins de trois cents mètres, monstre noir qui l'avait saluée d'un coup de corne étourdissant, de l'ivresse que lui avait procurée le sentiment de sa solitude.

— Je me sentais comme Saint-Exupéry dans son avion.

— C'est qui, Saint-Exupéry ? demanda Guillaume après un silence.

Aude sourit.

— Je parle comme une fille des Ursulines ?

— C'est pas grave.

C'était la première fois qu'elle faisait le voyage aux Îles seule avec son père. Elle était fière de sa performance d'équipière.

— Et toi ?

Guillaume s'anima et lui fit le récit des événements de la journée, la découverte de la croix et des messages codés, sa rencontre avec la copine de son père dans la cuisine et sa visite au père Turbide. Aude buvait ses paroles.

— Wow ! Un vrai roman ! Qu'est-ce que tu vas faire ?

Guillaume avala une gorgée de café, s'assura que personne n'écoutait et murmura :

— Une visite privée au musée.

— Quand ?

— Ce soir, à minuit.

Aude étouffa un rire.

— Super ! Je t'accompagne.

Guillaume fut froissé par le ton de son offre. Aude était comme les autres : elle ne le prenait pas au sérieux. L'expédition qu'il lui proposait n'était pour elle qu'une activité de vacances plus exotique que les autres.

— C'est pas une blague, dit-il d'un ton grave.

— Je te crois.

Elle posa sa main sur la sienne. Il fut rassuré. Depuis le matin, une intuition l'habitait : la croix lui ouvrait le chemin de l'aventure. Ce sentiment n'était fondé sur rien, une relique d'argent, quelques caractères en grec et en latin, la convoitise du directeur du musée et du généalogiste américain. Pourtant, quelque chose lui disait qu'il avait par hasard touché à un mystère dont la source remontait aux débuts de l'histoire des Îles. Il était heureux qu'Aude, sans partager tout à fait sa conviction, ne le traitât pas comme un illuminé.

Ils se racontèrent leur printemps, oublieux des préparatifs de fête qui, superposés à l'achalandage de juillet, transformaient le Café en une scène de gare. Dans la cuisine, une escouade de bénévoles préparaient des hors-d'œuvre. Bathilde fit son apparition dans sa légendaire robe à pois bleus, tenant à bout de bras une cloche à gateau gigantesque. L'oncle de Jean-Denis sifflait un air du *Barbier de Séville* en montant et en descendant l'escalier qui menait aux réserves.

Hâlée, pleine d'une fatigue heureuse, Aude rayonnait au milieu de cette agitation.

— J'ai l'impression de commencer mes vraies vacances.

Guillaume se taisait. Il avait envie de l'inviter à une baignade sur la dune, mais il sentait qu'il devait la laisser savourer son arrivée. Ils convinrent d'un rendez-vous à minuit sur la grève et se séparèrent.

Il retourna chez lui. Son père était absent. Il descendit un escalier de bois et retrouva la plage de galets qui bordait la butte de la Croix. Il abandonna ses vêtements sur un rocher, se jeta dans l'eau froide et nagea jusqu'au large. Le visage tourné vers la côte, il se laissa dériver.

Sur la colline à l'est des Demoiselles, au-dessus d'une grotte où s'écaillait une statue de la Vierge, une croix de dix mètres de hauteur veillait sur le village. Quand le soleil se coucherait, les ampoules qui paraient ses contours s'allumeraient. Au-dessus des feux des maisons, des halos bleutés des lampadaires, elle paraîtrait plus haute, plus belle qu'en plein jour et guiderait les pêcheurs de maquereau attardés dans la baie.

Deux lignes se coupant à angle droit...
Étrange qu'il ait trouvé la croix de l'abbé
Donnegan le jour où Aude revenait aux
Îles... Guillaume, le nez au ras des vagues,
se laissa porter jusqu'au rivage. Il éprouvait parfois l'impression fugitive que quelqu'un, quelque part, s'amusait à entre-
mêler les destins des humains.

8

NOCTURNE

Guillaume monta l'escalier et rentra chez lui. Il mit une brassée de linge foncé à laver, engouffra huit biscuits et s'enferma dans sa chambre avec la croix de l'abbé Donnegan.

Il passa une heure à jongler avec le message chiffré. À cinq heures et demie, il entendit son père rentrer. Ils soupèrent ensemble, distants, sans souffler mot de leur conversation du midi. Guillaume garda le silence au sujet des événements de la journée. En lui confiant sa découverte, il tirerait son père de sa mélancolie et le rendrait plus attentif. Or, il avait besoin d'aller et de venir sans éveiller les soupçons.

Après le repas, il s'efforça de ne faire rien qui dérogeât à ses habitudes. Il joua au baseball près de l'église, écouta les jérémiades de Nathalie Boudreau en buvant une eau gazeuse dans le stationnement du Palais de justice, descendit au quai à bicyclette, revint chez lui pour regarder la télévision.

Après un somme, son père se préparait à sortir. Les cheveux impeccables, les joues fleurant la lotion après rasage, il vint s'asseoir sur le bras du sofa où était affalé Guillaume.

— Qu'est-ce que tu fais ce soir ?

— Je vais faire un tour à la fête du Café.

André Cormier passa la main dans les cheveux de son fils. Guillaume détourna la tête.

— Le bateau des Brousseau est arrivé...

— Ouais... J'ai vu Aude tantôt.

Le père sourit et ne demanda pas de précisions. Élever des adolescents ressemblait à naviguer dans la brume. Il fallait se fier aux instruments.

— Passe une belle soirée.

Il réussit même à ne pas demander à son fils de rentrer de bonne heure. Fier de lui, il grimpa dans son camion et partit vers la Grave.

Dès le départ de son père, Guillaume descendit à la cave chercher une pince, une lampe de poche et un tournevis. Il les enroula dans un étui de cuir et les glissa dans la ceinture de ses jeans. Il enfila un chandail de laine noir pour cacher son attirail de cambrioleur et sortit dans la nuit.

Il prit le raccourci par la grève et la butte de Marie-Anna. Le vent était tombé. La soirée était délicieusement fraîche. Ses pas retournaient les galets jonchés de varech et troublaient la respiration de la mer assoupie.

Le Café projetait un flot de lumière sur le chemin de la Grave. Guillaume ouvrit la porte, le cœur battant, et fut assailli par une bouffée de rires et de notes de piano, de tintements de verre et d'échantillons de la puissance vocale de Rodrigue à Alpide, un ténor local recyclé dans la force constabulaire de la ville de Verdun.

Plaisir d'amour ne dure qu'un moment

La place était bondée. Au-dessus d'un banc d'église depuis lequel des touristes alanguis par une journée de plage observaient les débordements des habitués, un ventilateur brassait un air saturé d'effluves de moules et de bière. Heureux de passer inaperçu au milieu du brouhaha, Guillaume se faufila jusqu'au comptoir, commanda un café et alla s'appuyer contre un mur près des toilettes.

Chagrin d'amour dure toute la vie

Aude était assise près de son père à une table où trônaient, hilares, les fondateurs de l'établissement. Guillaume remarqua avec satisfaction qu'elle avait pris soin d'enfiler des vêtements sombres. Elle lui fit un clin d'œil.

Il regarda sa montre. Onze heures vingt. Bathilde sortit de la cuisine, armée d'un sabre digne du capitaine Kidd, et entreprit de dépecer le gâteau d'anniversaire. Béat, la fourchette à la main, Jean-Denis salivait devant la masse de glucides. Guillaume s'approcha et lui communiqua à l'oreille l'heure et le lieu du rendez-vous.

— T'inquiète pas, ajouta-t-il. Tu as le temps de manger ton morceau.

Minuit moins vingt. Guillaume retourna à son poste et observa Aude. Elle fumait avec des gestes de femme. Elle ne faisait pas attention à lui. D'où lui venait l'impression qu'elle avait changé ? À Québec, en février, elle avait encore cette grâce inquiète qui lui plaisait tant. Il l'examina attentivement, comparant la réalité à l'image qu'il avait entretenue dans ses rêves. Quelques kilos s'étaient déposés sur sa charpente d'écorchée. Ses bras étaient plus pleins, sa taille plus généreuse. Toute sa personne dégageait une assurance qui l'intriguait.

Était-ce lui qui avait changé ou sa dulcinée ? Ses rêves de trésor lui avaient-ils embrumé l'esprit ? Dulcinée... Il faudrait qu'il regarde dans le dictionnaire. Jean-Denis achevait une robuste portion de gâteau et tendait de nouveau son assiette à Bathilde.

Guillaume s'éclipsa par la porte arrière et retrouva la plage de galets. Pas une âme, sauf le vieux Siméon qui prenait le frais avec son chien. De l'autre côté de la baie, les lumières de Cap-aux-Meules se fondaient à celles, plus lointaines, de Havre-aux-Maisons. À l'ouest, derrière les ombres massives des Demoiselles, les phares des autos creusaient la nuit le long du havre aux Basques.

Il alla s'asseoir derrière les cubes en contreplaqué servant de décor à la troupe de théâtre qui occupait la salle voisine du Café. Cinq minutes plus tard, Jean-Denis vint le rejoindre.

— On y va, patron ? murmura-t-il avec un accent français.

— Comment ça, patron ?

— Dans tous les films d'aventures, il y a un gros qui demande : « On y va, patron ? »

— Et le patron répond ?...

— « Tais-toi, idiot ! » Si on se fait prendre, je te préviens : je dis que c'est ta faute.

— Tais-toi, idiot !

Aude les rejoignit. Jean-Denis lui adressa un bonsoir timide. Guillaume sortit ses outils et en fit l'inventaire.

— Vous êtes sérieux ! s'esclaffa Aude.

Guillaume se renfrogna. Aude prenait décidément l'aventure à la légère. Il se leva et jeta un œil sur la plage.

— On y va !

— Oui, patron. Patron ?

— Quoi ?

— Tu dois dire : « Et ne m'appelle pas patron ! »

Ils traversèrent la plage en marchant sur le sable durci qui marquait la limite de la marée haute. À l'est, un croissant de lune aux contours flous protégeait l'île d'Entrée.

« C à l'envers, lune croissante, lune menteuse, femme menteuse... » Des associations d'idées pessimistes s'enchaînaient dans la tête de Guillaume. Aude l'agaçait. Il ne savait pas pourquoi.

Ils marchaient en silence. À l'extrémité de la grève, ils passèrent devant un restaurant, contournèrent les clôtures de la Irving et longèrent le jardin de Procule Boudreau. Ils se retrouvèrent derrière le musée, au pied de la croix du sieur François Doublet. Plus bas, ils apercevaient le stationnement et la route qui menait au quai de la Maritime.

— Jean-Denis, tu restes ici à faire le guet.

— Oui, patron.

Plié en deux, Guillaume entraîna Aude vers l'arrière du musée. Il s'arrêta près d'une fenêtre du sous-sol, sorte de grand hublot rectangulaire qui s'ouvrait grâce à un loquet horizontal.

Guillaume passa une main et poussa un soupir de soulagement. Il avait tondu la pelouse assez souvent autour du musée pour savoir qu'en été le concierge, malgré les ordres du père Turbide, laissait les fenêtres basses entrouvertes.

À l'aide de ses outils, il détacha le mécanisme d'ouverture et enleva la moustiquaire. Aude frissonnait sous le vent. Guillaume lui désigna le gazon qui séparait le musée de la falaise.

— L'ancien cimetière protestant.

— Charmant. Tu vas te glisser là-dedans ?

— Pourquoi pas ?

Il dirigea le faisceau de sa lampe de poche en contrebas et tira de l'ombre, mêlées à cent traîneries poussiéreuses, les ancres du père Turbide. Les pieds les premiers, il se laissa couler dans l'ouverture. Il atterrit sur le plancher cimenté. La cave sentait l'humidité et la colle à bois.

— Tu viens ?

Les jambes, puis les minces cuisses d'Aude franchirent l'ouverture. Guillaume l'attrapa par la taille. Dans la pénombre, elle se retourna et l'embrassa longuement. Maintenant, ils étaient seuls. C'était meilleur que sur le quai. Il passa sa main sous son chandail et la fit reposer sur la chute de ses reins.

— Jean-Denis va nous attendre, marmonna Guillaume qui suffoquait.

— C'est pas grave.

Ses appréhensions au sujet d'Aude s'étaient envolées. Il se dégagea, la prit par la main et la guida vers la cage d'escalier. Dans une salle, il entrevit des planches de pin, des outils, une maquette de voilier en construction.

Ils montèrent un escalier métallique et débouchèrent dans la salle des animaux empaillés. Des veilleuses éclairaient faiblement le hall d'entrée. Le cœur battant, Guillaume se dirigea vers la salle des prêtres.

La pièce n'avait pas de fenêtre. Il ferma la porte et alluma le plafonnier.

— Godême !!!

— Qu'est-ce qu'il y a ?

Pétrifié, blanc de rage, Guillaume montra à Aude une plaque dorée surmontée d'une niche vide.

Le Shakespeare de l'abbé Donnegan avait disparu.

9

UN MESSAGE
D'OUTRE-TOMBE

Aude Brousseau laissa échapper un rire dont les échos troublèrent la paix du musée. Pliée en deux, elle regardait le visage décomposé de Guillaume et pouffait de plus belle.

— C'est pas drôle ! grommela-t-il, les dents serrées.

— Si tu te voyais !

Il était furieux. Elle ne le prenait décidément pas au sérieux.

— Arrête de rire ! On va nous entendre de l'île d'Entrée !

Il examina la niche et ne nota aucune trace d'effraction. Le couvercle jouait librement. Intrigué par la découverte de la croix, le père Turbide avait dû sortir le livre du musée pour l'examiner chez lui à son aise.

Guillaume demeurait immobile. Son esprit travaillait à toute allure. Aude s'approcha et le tira par la manche.

— Viens. On n'a plus rien à faire ici.

Il s'arracha à la contemplation de la tablette de chêne qui avait supporté le précieux exemplaire et marcha comme un automate jusqu'à la salle des vieux meubles.

— Qu'est-ce que tu fais ?

Il se taisait, farouche. Il s'assit devant la table de l'ancêtre Louis Boudreau et l'étudia, comme s'il y cherchait des traces du missionnaire irlandais. Désarçonnée par son mutisme, Aude semblait troublée par l'atmosphère de la pièce.

— Viens, Guillaume.

Il délaissa la table et, reparcourant machinalement le trajet qu'avait fait le père Turbide dans l'après-midi, alla examiner la cloche de bronze. Il leva le bras et fit osciller le lourd battant.

DONG !

Un tintement grave, fêlé, mélancolique acheva de plonger Aude dans l'angoisse.

— Guillaume !

— Regarde !

Il arrêta le mouvement de la masse de bronze. Triomphant, il lui montra, taillés au burin à l'intérieur de la cloche, une série de chiffres :

8 11 2 24 17   24 15 22 13 4 7 10 10 11

— Des chiffres ! C'est peut-être le même code que celui de la croix ?

Il nota avec soin les nombres et scruta l'instrument sous tous ses angles. La cloche ne portait aucune autre inscription, pas même le nom de son fabricant. Qui avait pris la peine de graver un message codé sur un objet aussi massif ? L'abbé Donnegan ? Louis Boudreau ? Le mystère s'épaississait.

Maussade, Aude attendait dans le corridor. Guillaume la rejoignit. Ils regagnèrent la cave en se tenant par la main. Il exultait.

— Je savais que je trouverais quelque chose !

— Oui, patron.

Tour à tour, ils se hissèrent dehors par la fenêtre. L'air frais de la nuit les ramena à la réalité. Guillaume effaça les traces de leur passage.

Jean-Denis les attendait, grelottant, à son poste de guet. Sans répondre à ses questions, Guillaume entraîna ses complices vers la Grave. Sous l'éclairage laiteux des réverbères, quelques autos se glissaient entre les rangées de boutiques. Des bribes de musique ricochaient à la surface du havre.

Aude regarda sa montre et déclara qu'elle devait rentrer au bateau. Guillaume regretta que Jean-Denis se trouvât avec eux. Aude s'approcha et l'embrassa du bout des lèvres, distraitement. Ils convinrent de se retrouver au quai le lendemain à onze heures.

Jean-Denis, qui s'était pudiquement retourné, regarda rêveusement s'éloigner la jeune fille.

— Jean-Denis?

— Ben quoi! J'ai bien le droit de la reluquer un peu moi aussi...

Les deux amis se dévisagèrent, un peu mal à l'aise. Guillaume se taisait. Était-ce parce qu'elle s'adressait à sa propre blonde? Pour la première fois, la soif d'amour de Jean-Denis ne lui parut pas risible mais émouvante.

— Sors des limbes, dit Jean-Denis. Tu sais que tu n'as pas à t'inquiéter.

— Arrête de jouer au martyr. Tu l'as dit cet après-midi : ce qui compte, c'est le cerveau.

— N'empêche que je te trouve chanceux en diable. Avez-vous examiné le livre ?

— Il n'était plus là.

— Tu ris de moi ?

— Le père Turbide a dû l'apporter chez lui. Mais j'ai découvert une série de chiffres gravés dans une cloche.

— Une cloche !

— Je t'expliquerai demain.

La fête battait toujours son plein au Café. Guillaume entrevit son père à travers les guirlandes et la fumée. Il marcha à grands pas jusque chez lui. Il rangea les outils dans la cave et recopia le message chiffré dans un cahier d'école, de même que celui qui était gravé sur la croix. Couché sous le cône de sa lampe de chevet, il s'absorba dans la contemplation de la relique du curé irlandais. Le lendemain, il irait voir le père Turbide et tenterait de lui tirer les vers du nez.

Sa fenêtre ouverte sur les vagues qui grignotaient le cap, l'esprit traversé de visions d'Aude et de rêves de trésor, il s'endormit.

10

LA PAGE DE GARDE

Il était debout dès huit heures. Les ronflements sonores de son père roulaient dans la maison. Dehors, une épaisse chape de brouillard étouffait la baie. Des gouttes de rosée tombaient du toit. Il appela la station météorologique de la garde côtière. Sud-ouest pour l'après-midi. Il poussa un soupir de soulagement. Aux Îles, l'été se présentait toujours par le siège. Le nouveau-né était à peine sorti des brumes du printemps qu'il devait se défendre des suêtes et des nordets. Qu'il parvienne à ressembler à une saison était chaque fois un petit miracle, qui rassurait les Madelinots quant à la présence d'une divinité bienfaisante derrière les troupeaux de nuages qui traversaient l'Atlantique.

Il engouffra un copieux déjeuner. La cuisine rangée, la brassée de linge lavé mise dans la sécheuse, il sortit et enfourcha sa bicyclette. Engourdie par la fête de la veille, la Grave somnolait. Au Café, Corinne-la-Planche, cigarette au bec, finissait son ménage.

À neuf heures cinq, Guillaume passa les tourniquets du musée.

— Tu es de bonne heure, observa sa cousine. Tu n'es pas aux moules ?

— Congé, dit Guillaume.

Sans plus de cérémonies, il se rendit dans la salle des prêtres. Le Shakespeare de l'abbé Donnegan avait repris sa place dans sa niche d'exposition. Le petit verrou était tourné. Le livre était ouvert à la même page. Rien ne semblait avoir bougé depuis la veille.

La porte du bureau du père Turbide était fermée. Guillaume retourna trouver sa cousine.

— Sais-tu où est le père Turbide ?

— Tu es la première âme que je vois ce matin. Il devrait être ici vers neuf heures et demie. Qu'est-ce que tu as ? Tu es pâle comme un mort.

Guillaume, ébranlé, sortit dans le matin humide et alla s'asseoir au pied de la croix de François Doublet.

Il y avait deux possibilités. La première était que le père Turbide ait pris le livre la veille et soit venu le remettre dans sa niche *après* qu'Aude et lui eurent visité le musée, en pleine nuit ou au petit matin. L'hypothèse ne cadrait pas avec le caractère du curé, qui ne se gênait pas pour faire ce qui lui plaisait au vu et au su de tout le monde, comme s'il n'avait de compte à rendre qu'à Dieu le Père. Un seul motif aurait pu pousser le père Turbide à profiter de la nuit pour pénétrer dans *son* musée : la découverte d'un secret d'une extraordinaire importance dont il aurait voulu garder l'exclusivité.

L'autre possibilité était à la fois plus logique et plus troublante. Une autre personne avait dérobé le livre entre la fermeture du musée et une heure du matin. Après l'avoir parcouru, elle serait venue remettre le bouquin à sa place, pendant la nuit, de façon que nul ne remarque sa disparition. Cette personne devait être au courant de la valeur du livre et de sa relation avec la croix. De plus, elle devait pouvoir circuler à sa guise dans le musée, et notamment posséder la clé de la niche de verre.

Guillaume repassa le fil des événements de la veille. À part le père Turbide, Aude et Jean-Denis, deux personnes étaient au courant de la découverte de la croix : Bathilde et ce M. Bourque qui effectuait des recherches au musée. Guillaume revit le visage perlé de sueur du petit Américain, la façon avide dont il avait commencé à copier le message gravé derrière la croix, et il n'eut plus de doute. M. Wilfred Bourque, membre émérite de la *Massachusetts Historical Society*, portait un intérêt évident à la relique du missionnaire d'Arichat.

Dix heures moins vingt. Le plan de Guillaume était arrêté. Il retourna au musée et se rendit droit au bureau du directeur. Le prêtre, sa pipe à sa gauche, sa cafetière à sa droite, était plongé dans la lecture du *Devoir*.

— Guillaume ! Assieds-toi. As-tu changé d'idée, par hasard ?

Guillaume demeura interdit. Le directeur du musée avait levé ses yeux couleur de mer de son journal et l'examinait affectueusement.

— À quel sujet ?

— La croix de l'abbé Donnegan, voyons ! As-tu passé la nuit sur la corde à linge ?

— Je voulais vous demander... Est-ce que je pourrais voir le livre de Shakespeare qui est dans la salle des prêtres ?

— Bien sûr.

Le père Turbide ne parut aucunement troublé par la demande. Guillaume observait le visage du religieux, le front lisse sous la tignasse argentée, le regard franc, les larges mains posées sur le bureau. Cet homme ne jouait pas un jeu.

— Es-tu sur une piste ? blagua-t-il en lui tendant son trousseau de clés. Le livre ne t'apprendra pas grand-chose. C'est un exemplaire ordinaire, sans beaucoup de valeur. Si je me souviens bien, il ne présentait rien de particulier, sauf un poème sur la page de garde.

— Un poème ?

— Cinq ou six vers en anglais, assez mauvais. Pas du Shakespeare, pour sûr ! L'abbé Donnegan y parlait de chevaux, d'étoiles, de cercueils... Il avait peut-être l'esprit troublé sur la fin...

Guillaume prit les clés et posa au prêtre une question sur la politique québécoise, sa grande passion. Après avoir enduré dix minutes d'un exposé sur l'issue du prochain référendum, il jugea qu'il avait réussi à banaliser sa requête au sujet du livre de l'abbé Donnegan.

Il laissa le père Turbide à son journal et se dirigea vers la salle des prêtres. Sous le regard curieux d'un touriste en camisole, il ouvrit la niche de verre. Le cœur battant, il prit le recueil de tragédies et alla s'enfermer dans la salle de généalogie.

C'était un vieux bouquin à la reliure fatiguée. Guillaume l'ouvrit à la première page. *King Lear, Hamlet, Othello… London 1786.*

Pas de poème. Guillaume chercha à la fin et ne trouva rien non plus. Il éplucha fébrilement toutes les pages et ne découvrit aucune trace d'écriture.

Un examen plus attentif le renseigna. Près de la reliure courait la trace d'un instrument tranchant. De toute évidence, la page de garde sur laquelle l'abbé Donnegan, ou quelqu'un d'autre, avait écrit le mystérieux poème avait été minutieusement retirée du livre.

Guillaume étouffa un juron et serra le poing. L'étrange M. Bourque, puisqu'il ne doutait plus qu'il s'agît de lui, l'avait devancé. Il se calma et réfléchit. Il lui fallait d'abord s'assurer que le livre n'avait rien de plus à lui apprendre.

Il en examina une à une les pages. Il ne trouva aucun indice, sauf la disparition de deux pages de *King Lear*, signalée par les mêmes traces de lame.

Que contenaient ces pages ? Quels liens le livre avait-il avec la croix et le message gravé dans la cloche de Louis Boudreau ? Guillaume naviguait en pleine brume. À tout hasard, il nota les numéros des pages manquantes, 47 et 61. Il remit le Shakespeare dans sa niche de verre en regrettant de ne pas l'avoir examiné la veille, quand il recelait encore tous ses secrets.

Le père Turbide était parti dire sa messe. Dans son bureau, au milieu des marines figées dans leur cadre doré, sa pipe éteinte et la cafetière répandaient des odeurs qui évoquaient des pays inconnus. Guillaume confia les clés du curé à sa cousine. Il était temps d'aller retrouver Aude au quai.

11

HENRY RATCLIFFE

Il pressa le pas pour ne pas être en retard à son rendez-vous. Levant les yeux, il regarda les cumulus qui s'agglutinaient à l'horizon. Une brise du sud annonçait de la pluie.

Les hublots ternis par le sel, le *Nirvana* tirait paresseusement sur ses amarres. Aude lisait un gros roman, ses cheveux frais lavés s'égouttant sur une ceinture de sauvetage, ses pieds nus dépassant de la lisse.

Guillaume eut un choc en la voyant. Depuis la veille, il était tellement absorbé par le mystère de la croix qu'il avait peut-être négligé son amie. La fille dont il s'était langui pendant des mois était pourtant là en chair et en os, plus belle que dans ses rêves.

Elle continuait à lire sans remarquer sa présence. Il aimait son côté lunatique, sa « tête de livres », qui se mariait à sa vivacité. Le grand-père de Guillaume lui avait dit quelques mois avant sa mort : « Avant de choisir une femme, regarde sa mère et demande-toi si elle est heureuse. » Le conseil lui avait paru ridicule, l'élucubration d'un vieil homme malade de la prostate. Il revit la mère d'Aude telle qu'il l'avait aperçue quatre ans plus tôt, une belle femme du Lac-Saint-Jean, aux longs cheveux sombres, qui riait avec une grâce ravageuse. Son grand-père n'avait peut-être pas tort.

Il prit son élan et atterrit sur le pont du voilier. Aude ne broncha pas.

— Je savais que tu me regardais. J'ai entendu ton pas sur le quai.

Il s'assit près d'elle et l'embrassa.

— Ton père n'est pas là ?

— Il est parti faire des commissions à Cap-aux-Meules.

Elle avait posé sa main sur sa cuisse. Il se pencha et l'embrassa de nouveau.

— Tu es allé au musée ?

Bien que la proximité du corps d'Aude fît pâlir dans son esprit les cachotteries de l'abbé Donnegan, il lui raconta ses découvertes de la matinée.

— Tu as la croix ? demanda Aude en se levant.

— Bien sûr que non. Elle est cachée à la maison.

— Tu as les messages ? Il faut trouver le code. C'est une journée pour se casser la tête. Il va pleuvoir.

Au moment où ils regagnaient la cabine, le regard de Guillaume fut attiré par une silhouette courtaude qui s'engageait sur les passerelles. D'un pas mal assuré, Wilfred Bourque, son ventre rebondi tendant les boutons de sa chemise, s'avança dans leur direction.

— C'est lui, grogna Guillaume d'un ton hostile.

— Qu'est-ce qu'il nous veut ?

— J'ai mon idée là-dessus.

L'Américain s'immobilisa devant le *Nirvana* et adressa aux amoureux un exemplaire de son sourire automatique.

— Vous vous souvenez de moi ? Wilfred Bourque.

Guillaume ne soufflait mot.

— Vous permettez que je monte à bord ?

Guillaume se tourna vers Aude, qui donna son accord dans un anglais dénué d'accent.

Wilfred Bourque opéra précautionneusement le transfert de sa masse sur le pont.

— Votre père est absent, mademoiselle Brousseau ? demanda-t-il en tournant ses yeux rougis vers la cabine.

— Comment savez-vous mon nom ?

— Les gens parlent beaucoup. Vous devinez pourquoi je viens vous voir, Guillaume ?

— Pas du tout.

L'Américain fit semblant de ne pas remarquer le ton ironique de la réponse.

— Vous avez repêché hier une croix d'argent. Pour un chercheur comme moi, un descendant des Îles-de-la-Madeleine, cet objet a beaucoup de valeur.

— Je suis madelinot aussi.

— Évidemment. D'après mes fiches, nous sommes un peu cousins. Ma grand-mère était une Cormier.

— Enchanté.

Droit comme un mât, les bras croisés sur son cœur qui battait sourdement, Guillaume laissa Wilfred Bourque arriver au but de sa visite. Un silence plana, percé par les cris des goélands énervés par l'imminence de l'averse.

— Combien voulez-vous pour cette croix ? demanda le gros homme, soudainement sérieux.

— Combien offrez-vous ? demanda Guillaume.

Aude regarda son ami, surprise. Voulait-il vendre la croix ?

— Cinquante dollars US.

— Vous voulez rire de moi ?

— Cent.

Guillaume fit non de la tête.

— Deux cents.

Guillaume refusa de nouveau. Un sourire germait sur ses lèvres.

— Cinq cents. Cinq cents dollars US, répéta Wilfred Bourque en pâlissant de rage.

— Cette croix n'est pas à vendre. À aucun prix.

Guillaume souriait franchement. Aude comprit qu'il avait voulu savoir jusqu'où l'Américain était prêt à aller. L'adolescent et le chercheur se toisaient comme deux lutteurs de sumo sur le pont du *Nirvana*. Étouffant sa colère, Wilfred Bourque esquissa un sourire frelaté.

— C'est comme vous voulez, Guillaume. Réfléchissez à mon offre. Vous n'aurez peut-être pas d'autre occasion de l'accepter.

Wilfred Bourque quitta le bateau sur cette menace sybilline, aussi dignement que le lui permettait sa panse.

— Brrrr... fit Aude.

— Bandit! grogna Guillaume.

— Tu exagères. Il n'a pas l'air méchant. Il ressemble à un nounours fâché.

— Ça peut être dangereux, un nounours fâché.

— C'est pas parce que tu cherches un trésor qu'il faut t'inventer un méchant. Ce gars-là est peut-être juste un maniaque d'histoire qui veut avoir son nom dans un magazine.

— On n'a pas de temps à perdre, dit Guillaume d'un ton décidé. On est engagés dans une course.

— Une course?

— Il possède le secret du livre. Nous avons la croix et le message gravé dans la cloche de Louis Boudreau. Premier rendu, premier servi. Pourquoi penses-tu qu'il était prêt à payer cinq cents dollars pour une vieille croix? Il lui manque un indice pour découvrir où se trouve le trésor.

— Oui, patron. Tu veux un café ?

Les premières gouttes de pluie s'abattirent sur le pont. Guillaume referma l'écoutille, sortit sa feuille de note et l'étala sur la table de la cabine. Aude apporta deux tasses, du papier et un crayon, et alluma une cigarette.

— Voyons voir.

OαLILH2JONG19PΩ

8 11 2 24 17   24 15 22 13 4 7 10 10 11

— Ce n'est pas compliqué, dit Guillaume en repoussant le cendrier vers sa gauche. Les chiffres doivent correspondre à des lettres. Il suffit de trouver la clé.

— Le deuxième message est différent. Les chiffres sont séparés. Procédons par essais et erreurs.

Ils remplacèrent les chiffres du message de la cloche par leurs équivalents numériques dans l'alphabet. Le résultat – H K B X Q X O V M D G J J K – ne leur apporta aucune lumière.

Ils essayèrent d'autres combinaisons, cherchant à repérer des voyelles parmi les nombres. Peine perdue. Le temps passa, découpé par le crépitement mélancolique de la pluie. Les boulettes de papier froissé s'accumulèrent sur le plancher.

Des pas résonnèrent sur le pont. Le visage de moine rebondi de Jean-Denis apparut dans le hublot bâbord. Une miette de croissant au coin de sa lèvre attestait son passage au Café.

— Qu'est-ce que vous faites ?

— On cherche le code.

Il descendit dans la cabine.

— Je peux prendre un biscuit ?

Un biscuit au chocolat à la main, Jean-Denis se pencha sur les gribouillages d'Aude et de Guillaume, puis examina la transcription des messages codés.

OαLILH2JONG19PΩ

— C'est quoi, le fer à cheval ?

— Mastique moins fort, tu nous empêches de penser. Le père Turbide m'a dit que c'est l'*omega*, la dernière lettre de l'alphabet grec.

— Et celle-là, c'est la première, *alpha*. On s'en sert en maths.

Jean-Denis prit un autre biscuit, mais oublia de le manger, absorbé dans la contemplation du message codé.

— Combien ça fait de temps que vous bûchez là-dessus ? demanda-t-il au bout de dix minutes.

— Deux heures.

— Vous êtes cons.

Un sourire au coin des lèvres, Jean-Denis attaqua le deuxième biscuit. Guillaume leva vers lui des yeux furieux.

— Évidemment, tu as trouvé le code ?

— Élémentaire, mon cher Watson. Pourquoi l'abbé Donnegan aurait-il pris la peine de faire graver deux lettres grecques sur la croix, sinon pour donner la clé du code ? L'*omega*, dernière lettre de l'alphabet grec, est précédée de la lettre P. L'*alpha*, première lettre, est associée au O. Le O et le P sont voisins dans notre alphabet. C'est clair comme de l'eau !

— Ça ne marche pas ! dit Guillaume. O vient avant P.

— Guillaume, tu me déçois. Il faut y aller *à l'envers*. L'abbé Donnegan était un petit coquin.

Jean-Denis prit un crayon et une feuille neuve. Il écrivit les lettres de l'alphabet. Il accola le chiffre 1 à la lettre O et le chiffre 26 à la lettre P. Il continua : Q = 25, R = 24, S = 23, jusqu'à ce qu'il ait fermé la boucle.

— Maintenant, faites les substitutions. Ça devrait fonctionner.

Aude, très excitée, s'était déjà mise au travail. Sur une feuille vierge, elle écrivit :

4748N6129W

— Des latitudes et des longitudes ! s'exclama Guillaume. C'est sûrement 47 degrés 48 minutes Nord et 61 degrés 29 minutes Ouest !

— Et vlan ! fit Jean-Denis en faisant un tour complet sur lui-même.

Aude sortit une carte maritime.

— C'est aux Îles !

Au point indiqué par l'abbé Donnegan, ils découvrirent la silhouette oblongue d'une île inhabitée au nord-est de l'archipel.

— L'île Brion !

Aude se remit au travail. Le second message apparut.

HENRY RATCLIFFE

— Henry Ratcliffe ?

12

PLUIE

Aude, Guillaume et Jean-Denis eurent beau fouiller les recoins les plus poussiéreux de leur mémoire, le nom d'Henry Ratcliffe n'éveilla en eux aucun écho. À leur connaissance, aucun commandant, aucun navigateur, aucun commerçant, aucun personnage relié à l'histoire des Îles n'avait porté ce nom.

— Fallait quand même pas s'attendre à tomber sur Rackham le Rouge, soupira Guillaume.

— Au moins, nous avons deux pistes, dit Jean-Denis. L'île Brion et ce Henry Ratcliffe.

— Nous avons aussi un ennemi qui en sait probablement plus que nous, dit Guillaume.

Il examinait la forme allongée de l'île Brion sur la carte : Butte de l'Homme Mort, Cap Noddy, Colt Cove, Anthony's Nose, Pointe Dandy, Cap des Tombes, Seal Rock, il s'abreuvait des noms étranges qui ornaient les échancrures de l'île abandonnée. Depuis des années, il avait écumé la bibliothèque de la polyvalente à la recherche de tout ce qui concernait les pirates, Anne Bonny, Drake, Morgan, Kidd, jusqu'au capitaine Flint de Stevenson. Il s'était passionné pour les histoires de trésors qui circulaient aux Îles. Il avait rencontré des vieux qui lui avaient conté, l'œil narquois, des légendes sans queue ni tête, qui variaient de canton en canton et qu'il n'avait même pas pris la peine de vérifier.

Ce jour-là, l'aventure était au rendez-vous. Appuyée contre son épaule, Aude fumait rêveusement une cigarette. Elle semblait se désintéresser du dénommé Ratcliffe. Guillaume se demanda si ses rêves de fortune ne commençaient pas à l'ennuyer. Depuis son arrivée, ils s'étaient amusés à cambrioler un musée et à déchiffrer le rébus d'un missionnaire irlandais du XVIIIe siècle. Aude partageait-elle son attrait pour les mystères ? En plus, Jean-Denis ne les lâchait pas d'une semelle.

Il passa son bras autour de l'épaule d'Aude et l'embrassa. Ses lèvres avaient un goût de nicotine qui lui rappelait les vestes de laine de ses tantes Boudreau.

— Nos histoires ne t'ennuient pas trop ?

— Je me demandais ce que nous ferions si nous découvrions vraiment un trésor... Cent mille ou deux cents mille dollars...

Les deux garçons brodèrent avec enthousiasme sur ce thème. Guillaume achèterait un voilier et partirait dans les mers du Sud. Jean-Denis prendrait des actions dans le café de son oncle.

Aude ne disait rien.

— Et toi ? lui demanda Guillaume.

— Je donnerais l'argent à mon père.

— Pourquoi ?

— Il le mérite bien. Il pourrait arrêter de travailler et voyager avec le *Nirvana*.

— Ton père ne travaille pas, ricana Jean-Denis. Il est prof.

Aude écrasa Jean-Denis sous un regard impérial.

— Je ne voulais pas t'insulter, bafouilla-t-il.

— Réfléchis avant de parler.

L'écoutille glissa dans ses rails d'acier inoxydable : les bras chargés de paquets, Pierre Brousseau descendit l'escalier de la cabine. Les cheveux frisés par la pluie, ses jeans effilochés battant le talon de ses chaussures de tennis, il paraissait jeune tant qu'on ne croisait pas son regard. Ses yeux verts, soulignés de rides, distillaient une mélancolie songeuse, résignée, comme ceux d'un savant persécuté par un régime totalitaire.

Il posa ses paquets en observant les trois adolescents qui se taisaient avec une unanimité suspecte.

— Qu'est-ce que vous mijotez ?

— Rien, répondit Aude. On s'emmerde.

Son père ne dit mot. Il se glissa dans la cale pour ranger des pièces de rechange. Guillaume ramassa les messages codés et les feuilles de brouillon et les fourra dans ses poches.

— Tu n'es pas allé aux moules ? lui demanda le professeur en remontant.

— Il pleut.

— Qu'est-ce que c'est, un peu de pluie ? Qu'est-ce que vous avez ? Vous ressemblez à une bande de punks dans un abri d'autobus.

— On n'a rien, dit Aude. On s'ennuie. Il n'y rien à faire aux Îles quand il pleut.

Pierre Brousseau ne tomba pas dans le piège que lui tendait sa fille. Guillaume regardait Aude. Elle mentait avec un naturel inquiétant. Il était content qu'elle ait gardé son père en dehors de leurs secrets. Le mystère de la croix était leur aventure. Pas question qu'un adulte vienne la rapetisser de son bon sens.

— On annonce du vent d'ouest pour demain. Vingt à trente nœuds. Si ça vous tente, on sort à onze heures.

— Super ! dit Guillaume.

— Et toi ? demanda le professeur à Jean-Denis.

— Je vous souhaite bonne chance.

Les deux amis se levèrent pour s'en aller. Guillaume se tourna vers Aude.

— Tu viens chez moi après souper ? J'ai de la nouvelle musique.

Aude promit d'y aller. Guillaume et Jean-Denis quittèrent le *Nirvana*. Les mains dans les poches, les épaules voûtées, ils s'engagèrent à petits pas pressés sur les planches glissantes des pontons. Une bruine tenace, poussée par un lourd vent du sud, plongeait le havre dans une atmosphère grise, automnale, à peine égayée par les taches claires des cirés des touristes qui couraient comme des assiégés entre boutiques et restaurants.

Les deux inséparables tinrent conseil au bar laitier. Ils convinrent que Guillaume irait se documenter au sujet d'Henry Ratcliffe au musée. Pendant ce temps, Jean-Denis essaierait de trouver où logeait Wilfred Bourque.

Guillaume passa manger chez Bathilde. À son poste dans sa cuisine, la vieille fille, plus pâle que d'ordinaire, se remettait avec stoïcisme des célébrations de la veille.

— Tu es parti du Café de bonne heure hier soir... insinua-t-elle en regardant le havre hérissé par la pluie.

— La fumée me piquait les yeux.

— Aude avait pourtant les yeux clairs. Elle va bien ?

— Oui.

— Elle a fait une belle traversée ?

— Oui.

Rien n'échappait à Bathilde. Guillaume n'avait pas envie d'élaborer au sujet de son amie. Il avala ses galettes, soulagé qu'elle ne le questionne pas à propos de la croix.

Elle vint desservir la table.

— Va te faire couper les cheveux. Tu ressembles à un déterré.

— Salut.

Bathilde ne répondit pas. Guillaume sortit en coup de vent. Les choses se passaient ainsi entre eux : pas de baisers, pas de remerciements. Depuis des années, ils avaient conclu d'instinct un marché où chacun prenait ce qui lui convenait, sans poser de questions. Cette tendresse sans histoire les reposait des conflits sentimentaux qui sévissaient hors de la maison bancale.

Guillaume passa l'après-midi terré dans la bibliothèque du musée. Le père Turbide était absent. Si le jeune homme ne trouva aucune trace du dénommé Henry Ratcliffe, il lut tout ce qui se rapportait à l'île Brion. C'est Jacques Cartier qui l'avait découverte à son premier voyage, en juin 1534.

À cinq lieues desdites îles était l'autre île à l'ouest d'elles, qui a environ deux lieues de long et autant de laize. Nous y fûmes posés pour la nuit, pour avoir des eaux et du bois à feu...

Cette dite île est la meilleure que nous ayons vue, car un arpent d'icelle terre vaut mieux que toute la Terre-Neuve. Nous la trouvâmes pleine de beaux arbres, prairies, champs de blé sauvage et de pois en fleurs, aussi épais et aussi beaux que je vis oncques en Bretagne...

Il l'avait appelée île de Brion, en l'honneur de Chabot de Brion, amiral de France. Par la suite, l'île avait été habitée par des pêcheurs saisonniers. Au XIXe siècle, un M. Whitee y avait fait bâtir une conserverie de homard. Plus tard, deux frères Dingwell en avaient cultivé les prairies et y avaient élevé des animaux de ferme. Des familles, pour la plupart d'origine écossaise, hivernèrent sur l'île. L'établissement ne survécut pas. Brion retrouva bientôt sa vocation première : celle d'un poste où les pêcheurs madelinots campaient de mai à octobre, dans des baraquements tenus par des femmes engagées. Sa seule population permanente était la famille du gardien du phare, qui veillait sur le feu guidant les cargos et les transatlantiques dans le détroit de Cabot.

Quand le phare fut automatisé, quand les bateaux à moteur permirent aux pêcheurs de rentrer chaque soir à leur port d'attache, le poste de pêche fut abandonné aux phoques et aux goélands. Si les Écossais de Grosse-Île continuaient de tendre leurs cages au pied de ses falaises, l'île, transformée en réserve faunique, n'était plus troublée que par les campeurs en mal d'espace. Brion dormait au nord-est de l'horizon, ses plages vierges, ses caps dressés contre l'Atlantique, vestige de l'époque, pas si lointaine, où les îles de la Madeleine n'étaient habitées que par des animaux.

Guillaume rangea ses livres et sortit dans l'air humide de la fin d'après-midi. Il ne pleuvait plus, mais le ciel ressemblait à la vitrine barbouillée au savon d'un magasin désaffecté.

Il trouva Jean-Denis au Café. Deux heures plus tôt, Wilfred Bourque, valises à la main, avait quitté la maison de chambre d'Évangéline Carbonneau.

— Il est parti pour de bon ?

— Il a réglé sa note et paqueté tous ses papiers.

— Il allait où ?

— Évangéline n'en a aucune idée.

— J'aime pas ça.

Guillaume quitta Jean-Denis et rentra chez lui, torturé par la peur que le chercheur ne soit déjà sur la piste du trésor. Il repensait au livre de l'abbé Donnegan. En plus de la page de garde, deux pages avaient été enlevées, les pages 47 et 61. Les deux chiffres correspondaient aux coordonnées indiquées sur la croix, 47 degrés Nord et 61 degrés Ouest. Wilfred Bourque avait-il fait le lien ? Pourquoi tenait-il tant à la croix ? Le nom d'Henry Ratcliffe était-il le chaînon qui lui manquait pour déchiffrer l'énigme ?

Pourquoi Bourque avait-il subitement disparu ? Guillaume Cormier maudit le hasard qui avait placé le chercheur sur son chemin. Si le père Turbide n'avait pas claironné comme un étourdi la découverte de la croix, l'Américain ne se serait pas lancé à la recherche du secret de l'abbé Donnegan.

Les silhouettes de deux touristes hérissaient le sommet chauve de la butte de la Croix. Guillaume poussa un juron et s'engagea dans l'allée mangée de mauvaises herbes qui séparait la maison de la *Marie-Guillaume*. La course avec Wilfred Bourque était bel et bien engagée et il devait avouer que son adversaire, tout balourd qu'il était, l'avait semé au départ.

13

UNE LUEUR ROUGE
DANS LA NUIT

Guillaume trouva son père devant la télévision, un verre de vin rouge à la main. Trois couverts étaient mis sur la nappe des grandes occasions. La maison sentait la tomate et le basilic. Guillaume souleva le couvercle d'un chaudron où mijotaient, sous une sauce écarlate, cinq morceaux de jarrets.

— C'est quoi, ça ?
— Un *osso buco*.
— Ouache !
— C'est très bon.

Depuis qu'il était en cale sèche, André Cormier avait entrepris d'élargir ses horizons culinaires. Du temps d'Élise, il était en charge du souper pendant les mois d'hiver. Il préparait des plats des Îles, simples et succulents, avec la patience désœuvrée d'un cuistot de navire. Quand Élise rentrait de Cap-aux-Meules, affamée, fatiguée par la traversée du havre aux Basques, elle trouvait la table mise, les assiettes fumantes devant les fenêtres assiégées par le gel. Le dimanche, André Cormier se levait de bon matin, sur l'erre de sa routine de pêche. Quand sa femme et son fils descendaient au rez-de-chaussée, le bouilli du souper était déjà sur le feu et la cuisine embaumait le café.

Après la fuite de sa mère vers les vieux pays, Guillaume avait accueilli les expériences gastronomiques de son père avec suspicion. Il ne s'y trompait pas. *Filets de sole bonne femme, Coquilles Saint-Jacques à la provençale, Vitello all'uccelletto*… André Cormier suivait de l'estomac la trace de son épouse en allée, inconsciemment, avec la ténacité d'un capitaine habitué à retrouver ses bouées par les mers les plus mauvaises. Sa soudaine passion pour la cuisine déplaisait à Guillaume, qui préférait son père à la barre de la *Marie-Guillaume* que devant une béchamel. Le capitaine André Cormier était-il en passe de devenir l'un de ces hommes roses dont on parlait à la télévision ? Guillaume savait que les temps changeaient. Autour de lui, les hommes et les femmes cherchaient une nouvelle façon de s'aimer, ou du moins de s'endurer. Sans l'avouer, il regrettait l'ancienne. Il aurait aimé entrer dans la vie sans se poser de questions, mû par des nécessités naturelles, comme ses grands-parents au temps de l'en premier.

Il rejoignit son père au salon. Affalé dans son fauteuil, le capitaine regardait une partie de football australien au réseau des sports.

— Qui vient souper ?

— Rosaline. J'espère que tu vas être poli.

— Aie pas peur.

— Elle retourne aux études dans trois semaines. Pour nous deux, c'est une parenthèse.

Guillaume regarda son père. Une parenthèse ! Où avait-il pêché ça ?

André Cormier leva les yeux et suivit la pensée de son fils.

— C'est elle qui a trouvé le mot. C'est joli, tu ne trouves pas ? Elle étudie en lettres à l'université. Elle veut écrire des livres.

— Une parenthèse, c'est plus facile à ouvrir qu'à fermer.

André Cormier ne releva pas l'allusion de son fils. Une auto fit crisser le gravier de l'entrée.

— La parenthèse arrive, annonça lugubrement Guillaume.

— Guillaume !

— T'en fais pas. Je la trouve sympathique moi aussi.

Rosaline cogna. André Cormier éteignit la télévision et se dirigea vers la porte d'entrée, décochant au passage un coup de poing amical sur l'épaule de son fils. Le départ de sa femme n'avait pas que de mauvais côtés. Malgré leurs moments de tension, Guillaume et lui avaient développé une solidarité bougonneuse, pudique, qui leur était utile lorsque des marées de tristesse les soulevaient.

Rosaline portait des jeans neufs et un chandail à col roulé qui lui donnaient des allures de collégienne américaine. Le souper fut très gai. L'*osso buco* se révéla comestible et Guillaume but plusieurs verres de vin. Le voisinage de la jeune femme le troublait. Il tenta de l'impressionner par des jeux de mots malhabiles qui amenèrent son père et Rosaline à échanger des regards complices au-dessus de la table.

Au dessert, Guillaume, flottant sur un nuage éthylique, leur annonça une surprise. Il monta à sa chambre et en rapporta la croix de l'abbé Donnegan.

— Regardez ! Il y a même des petits caractères derrière !

André Cormier se pencha et examina le message chiffré. Il connaissait les lubies de son fils. Guillaume était heureux ce soir-là. Tout ce qui pouvait égayer le grand garçon ombrageux lui était précieux.

— Pars-tu à la chasse au trésor ? demanda-t-il en souriant.

Guillaume se renfrogna. Il remit la croix dans sa poche de jeans, furieux d'avoir trahi son secret. Il jeta un œil à Rosaline. Malgré sa jeunesse, elle posait sur lui le même regard tendre et condescendant qu'il devinait sous les sourcils roux de son père, le regard d'un adulte se réchauffant l'âme à l'enthousiasme d'un enfant.

— Je vous laisse, grinça-t-il.

— Qu'est-ce que tu fais ce soir ? demanda son père.

— Aude doit venir faire un tour.

— De toute façon, nous sortons.

Guillaume prit maladroitement congé et monta cuver son vin dans sa chambre. Il remit la croix dans sa cachette habituelle. Il regretta d'avoir bu au souper. Que penserait Aude quand elle découvrirait le goût aigre du vin sur ses lèvres ?

Étendu sur son lit, il entendit vaguement les bruits de vaisselle et les éclats de rire montant du rez-de-chaussée. La porte claqua, le moteur du pick-up ronronna sous sa fenêtre : son père et Rosaline appareillaient vers les bars de Cap-aux-Meules.

Les événements des deux derniers jours, la découverte de la croix, l'apparition de Rosaline, l'arrivée d'Aude, la visite au musée se mirent à tourbillonner dans sa tête, mêlés aux visages grimaçants de Wilfred Bourque, aux silhouettes imaginaires de l'abbé Donnegan et de Henry Ratcliffe. Rompu par son expédition de la nuit précédente, il allait s'endormir quand la sonnette de la porte d'entrée lui fit dévaler l'escalier.

La joue tribord avivée par le soleil couchant, Aude attendait sur le pas de la porte, un bouquet de fleurs des champs à la main.

— Tiens.

Elle lui tendit les fleurs. Guillaume demeura interdit. Aude lui donna un baiser sur la joue. Elle portait un drôle de parfum.

— Tu devrais les mettre dans un pot, suggéra-t-elle.

— Bonne idée. C'est la première fois que je reçois des fleurs.

— C'est la première fois que j'en offre.

Guillaume se sentait gauche. La situation était nouvelle : Aude et lui se trouvaient seuls dans une maison, sans parent, sans chaperon. Le monde de connivence qu'ils avaient exploré dans leurs lettres et lors de sa visite à Québec lui semblait soudain irréel. Était-il vraiment amoureux ? La fille qu'il avait sous les yeux soutenait-elle la comparaison avec l'image qu'il avait façonnée pendant l'hiver ?

Il entraîna Aude dans le salon. Elle accepta un jus de fruits et s'assit à l'indienne sur la courtepointe, devant la chaîne stéréo.

— Tu m'as dit que tu avais de la nouvelle musique ?

Il sortit les disques compacts des Colocs et des Parfaits Salauds. Il aimait les chansons carrées, simples, meublées de mots quotidiens. Elle réprima une moue dédaigneuse. Chez elle, elle écoutait autre chose, Chris Isaak, U2, et toutes les vieilleries de son père, les Doors, les Beatles, Genesis et même ce Français à l'argot crépitant, Boris Vian, dont elle lui avait envoyé une cassette en avril.

Ils écoutèrent de la musique et se réapprivoisèrent tant et si bien que, au milieu de la troisième plage du deuxième CD, le sofa devint exigu pour leurs corps entremêlés.

— Tu viens en haut ? demanda Guillaume.

— J'aime pas ça. Si quelqu'un arrive...

Manifestement, Aude ne se sentait pas à l'aise dans la maison familiale.

— J'ai une idée, dit Guillaume.

Il l'entraîna dehors. La nuit était fraîche. Le vent était tombé. Dans le ciel piqué d'étoiles, la lune révélait la coque ventrue de la *Marie-Guillaume*. Au pied de l'échelle, Guillaume s'effaça pour laisser passer sa dulcinée. Elle émit un rire de contentement, posa son pied sur le premier barreau, l'embrassa amoureusement et monta à bord du morutier.

Guillaume la suivit en se souvenant d'une phrase de Frédéric à Ti-Mine, surprise un mois plus tôt alors qu'il descendait, passé minuit, boire un verre de lait à la cuisine. Frédéric à Ti-Mine, quarante-quatre ans, divorcé, la voix éraillée par les Export "A", avait confié à son père, au-dessus d'un verre de gin : « Vois-tu, mon André, une femme, aujourd'hui, il faut pas la séduire une fois, comme avant ! Il faut la séduire tous les jours !... J'veux dire, au moins une fois par semaine, godême !... »

Les amoureux firent glisser la porte et pénétrèrent dans la timonerie. Guillaume fit craquer une allumette et alluma une chandelle. Il fit rougeoyer la chaufferette à kérosène dont son père se servait l'hiver pendant ses travaux d'entretien.

— Le monde va voir qu'on est ici, dit Aude.

— C'est pas grave.

Ils descendirent dans la cabine. Guillaume sortit des couvertures et les étendit sur la grande couchette en v logée dans la proue du bateau.

Il se retourna. Aude avait enlevé son chandail. Le bout de ses cheveux effleurant ses seins durcis, elle le regardait de ses yeux où la chandelle faisait danser des flammes.

La timonerie de la *Marie-Guillaume* distillait une lueur rouge au milieu des lumières de Havre-Aubert. Dans la cabine, les choses se déroulèrent plus rapidement que ne l'aurait souhaité Guillaume. L'extase attendue pendant trois saisons, alimentée par des fantasmes torrides, n'était pas au rendez-vous.

Aude souleva sa tête et le regarda tendrement.

— Qu'est-ce que tu as ?

— Je ne sais pas.

— Tu sais.

Guillaume avait quelque chose sur le cœur, qui n'avait rien à voir avec l'*osso buco* ou l'odeur de kérosène. Cela ressemblait au départ d'Élise, un nœud d'impressions, de souvenirs et de déductions qui le forçait à avaler une vérité aussi imbuvable que les antibiotiques de son enfance.

Aude déplia une couverture et l'étendit sur leurs corps maigres.

— Qu'est-ce que tu as ? demanda-t-elle. Tu n'étais pas bien ?

— C'est fou.

Aude ne dit rien.

— C'est niaiseux.

— Accouche.

— C'était pas la première fois, pour toi ?

Avant de se dresser carré dans la couchette, Aude Brousseau laissa échapper un soupir auprès duquel le finale de la neuvième symphonie avec chœur de Beethoven ressemblait au babil d'un oiseau-mouche.

— Ben non, figure-toi !

— J'aurais dû y penser. Je m'étais mis dans la tête que tu n'avais jamais fait l'amour.

— J'ai dix-sept ans ! J'imagine que pour toi, c'était la première fois ?

— Non, mentit Guillaume.

Loin d'alléger l'atmosphère, son faux aveu avait transformé Aude, naguère si douce, en une furie qui se rhabillait en se cognant la tête contre les solives du pont avant.

— Qu'est-ce que tu as ? demanda Guillaume.

— Je m'en vais.

— Pourquoi ?

— Si tu le sais pas, ça vaut pas la peine que je te le dise.

Abandonnant Guillaume flambant nu dans la cabine où la chandelle agrandissait son ombre, Aude Brousseau retrouva la nuit et s'éloigna à grands pas vers le havre.

14

PAVILLON BLANC

Les membres de plomb, la peau hérissée par l'air frais qui s'engouffrait par la porte qu'Aude avait laissée ouverte, Guillaume Cormier resta couché sur le dos pendant un temps indéterminé, découpé sous ses tempes par le battement des trois syllabes : « C'est fini. »

— F-i-fi n-i-ni, conclut-il en se rhabillant.

L'esprit hanté par des perspectives de veuvage éternel, il rangea la cabine et quitta la *Marie-Guillaume*. Dans le ciel clair de la nuit de juillet, les étoiles l'observaient avec une sévérité minérale. La Honda de Rosaline attendait sa propriétaire. Guillaume monta à l'étage, se brossa les dents avec l'enthousiasme d'un cancéreux et se glissa dans ses draps parsemés de grains de sable.

Son chagrin était si compact, son exil si définitif, qu'il coula, pierre aux chevilles, dans le sommeil. Il n'en émergea que pour entendre le retour furtif des parenthèses et assister au lever du jour. Incapable de se rendormir, il fut assiégé par des volées d'idées noires, que même le mystère de la croix ne parvenait pas à chasser.

Si cruel qu'il fût, l'abandon d'Aude ne faisait que rouvrir une blessure plus profonde. Dans l'aube dorée, la tête enfouie dans son oreiller, Guillaume ne murmurait pas le prénom de sa blonde mais celui de sa mère envolée. Élise, Élise, pourquoi m'as-tu abandonné ? Son père avait beau faire son possible, rencontrer ses professeurs, repriser ses chemises, s'inquiéter de ses fréquentations et de ses toux, ses bras ne pourraient jamais remplacer le havre premier. Il avait l'antenne trop courte, l'amour trop carré. Il ne devinerait jamais ses états d'âme en un coup d'œil, comme le faisait Élise quand elle le regardait engouffrer son déjeuner, ses petites mains fermées sur sa tasse de café. Il ne trouverait jamais la façon de l'approcher doucement, comme un chevreuil aux aguets, en se glissant sous le vent. Sur la planète Terre, une seule personne pouvait comprendre Guillaume en ce dimanche matin d'été et elle mangeait des *pasta* dans un bistro vénitien.

Il se secoua, prit une douche et déjeuna. La Honda était toujours dans la cour, annonçant à tout le village la fin du célibat de son père. Un léger vent de sud-ouest déblayait l'horizon. La journée s'annonçait belle. Guillaume alla tirer Jean-Denis du lit et le remorqua, bouffi et bougon, jusqu'au *Par là-bas*.

Ils quittèrent le quai et gagnèrent le chenal. Rideaux tirés sur les hublots, écoutilles fermées, le *Nirvana* roupillait dans la paix dominicale. Le vent était favorable. À onze heures, Pierre Brousseau et sa fille lèveraient les voiles pour aller faire le tour de l'île d'Entrée. Ce jour-là, Guillaume ne serait pas à bord.

— Qu'est-ce que tu as ? lui demanda Jean-Denis. Tu es vert pâle.

Guillaume ne répondit pas. Il sortit du havre et mouilla l'ancre sous le cap Gridley, à l'endroit où, deux jours plus tôt, il avait découvert la croix de l'abbé Donnegan.

Plonger lui fit du bien. Il se laissa flotter, léger, dans la plaine liquide, délesté de ses soucis terrestres. Les rayons obliques du premier soleil creusaient l'eau froide. Le fracas du monde était remplacé par le gargouillement régulier de ses bonbonnes. Il remplit ses sacs de moules et explora le fond marin à la recherche de vestiges de naufrages.

Il ne trouva aucun nouvelle trace de l'abbé irlandais. Il remonta à la surface, pourtant ragaillardi. La nuit était traîtresse. Il fallait se méfier des pensées qui vous détroussent au détour de l'aube. Tout n'était pas perdu. La mer lui avait éclairci les idées. La colère d'Aude n'était peutêtre pas le signal d'un congé définitif. Les amoureux se chicanent, c'est bien connu. Il fallait tenir bon la barre et attendre le moment de s'expliquer.

Quand il doubla le quai de la Maritime, son cœur fit un bond : un rectangle de tissu blanc flottait au mât du *Nirvana*.

Jean-Denis suivit son regard.

— Qu'est-ce que c'est que ça ? demanda-t-il en lorgnant le pavillon blanc. Aude a capitulé ?

— *Taisse-to*. Veux-tu livrer les moules aujourd'hui ?

— J'ai compris...

Guillaume manœuvra son voilier vers le quai. Les cheveux en bataille, Pierre Brousseau sortit sur le pont et les héla au passage.

— Vous venez avec nous à onze heures ?

Guillaume décida de faire confiance au drapeau.

— D'accord !

Il accosta. Après quelques remarques sarcastiques, Jean-Denis s'éloigna avec les moules. Guillaume nettoya soigneusement son bateau dans l'espoir qu'Aude vienne le rejoindre. Ce fut plutôt le père de la jeune fille qui se présenta pour l'inviter à déjeuner avant le départ.

L'angoisse au cœur, Guillaume accompagna l'ex-hippie jusqu'à la boulangerie. Pierre Brousseau semblait d'excellente humeur et le traitait avec les égards dus à un gendre en titre. De toute évidence, il n'était pas au courant de la brouille de la veille.

Il acheta des chocolatines et des croissants. Quand ils retrouvèrent le *Nirvana*, Aude était sur le pont, frissonnante dans l'air cru du matin, les yeux rouges et les cheveux emmêlés. Le pavillon blanc était-il un signe de paix ? Guillaume eut peur d'avoir mal saisi sa signification et regretta d'avoir accepté l'invitation à déjeuner.

— On déjeune et on lève l'ancre, annonça le professeur en mettant la table. Qu'est-ce que vous avez ? Vous ressemblez à deux veaux qui font la queue dans un abattoir.

Aude esquissa un sourire et prit un croissant.

— Tu peux manger aussi, ajouta son père à l'intention de Guillaume. C'est pas pour les goélands.

Pierre Brousseau était perspicace sous ses allures de rêveur. Il avait senti qu'un malaise séparait les amoureux.

— Il faut sortir quand il fait beau, déclara-t-il d'un ton faussement détaché. Sinon, on se mord les doigts à l'automne.

La parabole était claire. Le sourire d'Aude s'élargit. Elle décocha à Guillaume un clin d'œil qui lui rendit l'appétit et qui proclama la fin des hostilités.

Le repas se déroula dans la bonne humeur. Ils larguèrent les amarres. Le père d'Aude pilota le voilier vers la sortie du havre. Guillaume hissa le foc, puis la grand-voile. Poussé par un vent de vingt nœuds, le *Nirvana* prit quinze degrés de gîte et retrouva la mer.

Debout à la roue, cheveux au vent, Pierre Brousseau mit le cap sur l'île d'Entrée et s'enfonça dans un état méditatif. Le soleil argentait la mer, qui se creusait à mesure que le bateau laissait les masses austères des caps de Havre-Aubert. La brise forcissait, le fond de l'air devenait plus froid, des crêtes d'écume bouillonnaient au sommet des vagues courtes, hargneuses, de la baie de Plaisance.

Le professeur leva les yeux et observa son gréement, la grand-voile tendue comme une peau de tambour, le mât lancé vers le ciel, les haubans qui vibraient comme des cordes de contrebasse. Six nœuds. Le *Nirvana* marchait bien. Il huma l'air salin et tendit la main vers sa tasse de café froid. Ces instants de grâce où il faisait corps avec son quillard de fibre de verre étaient ce qui ressemblait le plus au bonheur. Il avait cru le trouver auprès d'une femme. Il regrettait d'avoir compris si tard qu'il avait été la proie d'un malentendu.

Il esquissa un sourire. L'amour était semblable à la guerre : on ne pouvait en parler sans avoir été au front. C'était une étape d'apprentissage, au même titre que la perte de sa première dent ou le départ de la maison familiale. Comme tous les parents, il aurait aimé que ses filles soient dispensées de leurs premiers chagrins et n'aient pas à payer le prix de la sérénité. Était-ce souhaitable ? Le charme des premières amours ne provenait-il pas de la naïveté des combattants ?

Il regarda sa fille et son soupirant, puis jeta le fond de sa tasse de café à la mer et hocha la tête. Il devenait pessimiste en vieillissant. S'il ne la laissait pas faire ses propres expériences, Aude lui reprocherait un jour de l'avoir surprotégée. L'amour était semblable à la guerre. On en revenait la plupart du temps, pas indemne mais vivant, avec derrière soi ces recrues qui brûlaient de vous imiter et de monter en première ligne.

Couchés sur une couverture à l'ombre du foc, Guillaume et Aude faisaient l'autopsie de leur chicane.

— Je m'excuse, dit Guillaume.

— Tu n'as pas à t'excuser. Je n'aurais pas dû partir comme ça.

— J'ai été surpris. Je ne savais pas que tu avais déjà couché avec d'autres gars.

— Tu ne me l'avais jamais demandé. Qu'est-ce que ça fait, de toute façon ?

— Rien.

— Ça te fait quelque chose. Tu ferais aussi bien de me le dire.

— Ça s'est passé avant ou après ?

— Avant ou après quoi ?

— Notre rencontre.

— Ça s'est passé avant et après.

Guillaume Cormier, malgré toutes ses bonnes intentions, ne put s'empêcher d'avaler sa salive et de laisser planer un silence réprobateur.

— J'ai dix-sept ans, dit Aude. Penses-tu que j'attends le prince charmant ?

— Non, mais...

Guillaume se tortilla. Comment raconter ses rêves à Aude sans être ridicule ? Comment lui avouer qu'il n'avait jamais fait l'amour, qu'il se réservait, malgré les occasions offertes, pour une fille qui en valait la peine ? Comment lui expliquer qu'au fond de lui, il regrettait le temps où les gars et les filles devaient se reconnaître à l'estime, juger l'âme et le caractère avant de se mouiller ? S'il lui confiait ses fantaisies d'amour à l'ancienne, il aurait l'air d'un habitant.

— Tu aurais aimé que je sois vierge ? C'est ça ?

— Ce n'est pas ça le plus important. Ce qui me fait de la peine, c'est que tu aies fait l'amour avec quelqu'un cette année. Je croyais que tu étais fidèle.

— Fidèle à quoi ? se hérissa Aude. On s'est vus une semaine l'été passé, deux jours en février.

— On s'écrivait chaque semaine.

Aude soupira et reprit le contrôle d'elle-même.

— Écoute-moi bien, Guillaume Cormier. J'aime un gars sur la terre et c'est toi. Avant l'été passé, j'ai eu des amis et j'ai fait l'amour avec eux. Au printemps, j'ai rencontré un gars et je l'ai vu quelques fois. C'était pas de l'amour, c'était autre chose.

— C'était quoi ?

— Une espèce d'amitié.

— Mais vous faisiez l'amour ?

— Ben oui ! Et puis après ?

— Tu ne me l'as pas dit dans tes lettres ?

— Tu ne me l'as pas demandé.

Guillaume comprenait mal. Il savait qu'il y avait deux sortes d'amour : celui qu'on faisait et celui qu'on éprouvait, le corps et le cœur. Dans ses rêves, les deux amours se confondaient. Il avait présumé qu'il en était de même pour Aude. Il n'aurait jamais cru qu'elle pouvait penser comme une adulte et coucher avec l'un tout en aimant l'autre.

Il passa en revue les lettres qu'Aude lui avait envoyées. Leur ton était celui d'une complicité très tendre, mais qui ne s'abandonnait jamais à un romantisme échevelé. S'était-il bâti un château en Espagne ? Aude avait raison : elle ne lui avait jamais promis fidélité. Ce n'était pas sa faute s'il l'avait transformée en une princesse qui brodait dans son donjon.

— Arrête de jongler, espèce de grognon. Tu trouves pas qu'on est bien aujourd'hui, comme ça, au soleil ?

Guillaume Cormier ouvrit les yeux, regarda le ciel au-dessus du gréement et serra Aude contre lui. Ce flanc, cette cuisse étaient chauds, palpables, plus réels que ses rêves d'amour.

— C'était qui ? ne put-il s'empêcher de demander.

— Jaloux ! Un gars de vingt-trois ans, un étudiant de mon père.

— Il était comment ?

— Il avait tout ce qu'il faut. Il était beau, fin, intelligent.

— Pourquoi ça n'a pas marché ?

— J'étais trop jeune. J'aurais fini par l'ennuyer. De toute façon, je ne l'aimais pas.

— Non ?

— Non. C'est toi que j'aime.

Guillaume hocha la tête. Pourquoi Aude le préférait-elle à un bel universitaire brillant, lui, un petit pêcheur de moules de Havre-Aubert ?

— Tu es folle.

— Non. Toi, c'est autre chose. Essaie pas de savoir c'est quoi. Parle-moi de ton trésor au lieu de chercher des problèmes où il n'y en a pas.

Pendant que le *Nirvana* s'engageait dans la passe de l'île d'Entrée, Guillaume, le cœur plus léger, résuma la situation. Deux jours plus tôt, il avait découvert une croix appartenant à un missionnaire irlandais du Cap-Breton qui desservait Havre-Aubert à la fin du XVIIIe siècle. Sur la croix, deux inscriptions, l'une donnant le nom de William Donnegan et son année d'ordination, l'autre les coordonnées de l'île Brion. Sur une vieille cloche, ils avaient trouvé une autre série de chiffres, suivant le même code que la croix, qui révélait le nom d'un certain Henry Ratcliffe. Par ailleurs, Wilfred Bourque semblait avoir découvert dans un livre ayant appartenu à l'abbé Donnegan d'autres indices, notamment un poème transcrit sur la page de garde.

— On n'est pas très avancés, soupira Aude. On n'est même pas sûrs d'être sur la piste d'un trésor.

— On verra. Maintenant, il faut chercher du côté de ce Ratcliffe. Il faut aussi ramasser toutes les histoires au sujet de l'île Brion.

— PARÉ À VIRER!

La voix haddockienne du capitaine précipita les amoureux vers les écoutes. Au sortir de la passe, sécoué par la houle de la grande mer, le *Nirvana* vira lof pour lof et fila plein nord pour longer le flanc est de l'île d'Entrée. Le plateau verdoyant sur lequel les insulaires avaient semé leurs maisons colorées fit place à une série de falaises abruptes, d'un blanc sale, qui narguaient les brisants.

Ils continuèrent leur course jusqu'au milieu de la baie de Plaisance, où le père d'Aude décida de jeter l'ancre. On amena les voiles et le bateau s'immobilisa, proue au vent.

La journée était superbe, l'eau, invitante. Pendant que le capitaine s'installait pour lire sur le pont avant, Aude enfila son maillot de bain et se jeta à la mer. Elle nagea au large, criant, riant et battant bruyamment des pieds.

— Viens-t'en, frileux!

Guillaume enlevait son pantalon lorsqu'il entendit le cri de Pierre Brousseau. Il leva les yeux, le cœur battant. Fendant la crête des vagues, une nageoire noire, luisante, triangulaire, croisait à cent pieds du voilier et se dirigeait vers le visage horrifié de sa bien-aimée.

15

LA VENGEANCE
DE JOHN À WILFRID

Le menteur est souvent plus crédible quand il fabule que quand il dit la vérité. S'il veut réintégrer le giron des honnêtes gens, il s'en verra interdire l'accès par le sourire en coin de ses anciennes victimes. Il tirera une satisfaction exagérée de la confirmation du moindre de ses dires, qui ébranlera ses détracteurs et lui permettra de mentir de nouveau à son aise. Si cette confirmation concerne la présence d'un grand requin blanc dans la baie de Plaisance, un menteur de métier tel que John à Wilfrid dégustera sa vengeance, et sa Molson tablette, à petites gorgées, bien au chaud dans sa gloire.

Quand il aperçut le requin, Guillaume Cormier, sautillant sur une jambe, une cheville coincée dans ses jeans trop étroits, se souvint de l'avertissement de John à Wilfrid. Aude hurla et se mit à nager vers le voilier avec l'énergie du désespoir. Hypnotisé, engourdi par un sentiment d'irréalité, Guillaume regardait la nageoire du squale. Si l'animal attaquait, Aude n'avait aucune chance.

Pierre Brousseau, pâle comme neige, le bouscula en se précipitant vers l'arrière.

— Du bruit, du bruit ! criait-il.

Guillaume avait l'impression d'avoir la tête vide. Le temps s'était élargi. Tout se déroulait au ralenti.

Après avoir décrit un cercle, la nageoire se dirigea vers le bouillonnement des pieds d'Aude. Comme dans un rêve, Guillaume se débarrassa de son pantalon, enjamba la lisse et plongea. Du bruit, du bruit... Dans un éclair, il se souvint d'une bande dessinée de son enfance : le héros, un adolescent comme lui, faisait fuir un requin en hurlant sous l'eau.

Guillaume nagea à la rencontre d'Aude. Aussi bien mourir avec elle, pensa-t-il. Ma mère viendra à l'enterrement. Elle devra se passer de Rome et de Naples. Le requin n'était plus qu'à dix mètres des orteils de son amie. Il prit son souffle, s'immergea et poussa un cri à renflouer le *Titanic*. Au même moment, un concert de pétarades lui perça les oreilles : le père d'Aude avait fait démarrer le diesel du bateau.

Guillaume émergea. Dégoûté par le tintamarre, le requin était parti réfléchir. Sans prêter attention à son sauveur, Aude le croisa et escalada le flanc du voilier à une allure olympique. Guillaume la suivit sans demander son reste. Cinq secondes plus tard, les amoureux, hors d'haleine, la gorge nouée par l'épouvante, gisaient comme deux thons sur le pont.

— Maudit John à Wilfrid ! pesta Guillaume.

— Quoi ?

— Laisse faire !

Les larmes aux yeux, Pierre Brousseau serrait sa fille dans ses bras. Il hochait la tête, incapable de dire un mot.

Guillaume se releva et scruta les environs : le requin avait disparu.

— Notre histoire va faire sensation quand on va rentrer.

— Qu'est-ce que tu as, papa ?

Le teint gris, les traits tendus, le père d'Aude cherchait son air.

— C'est rien. J'ai eu peur.

— Viens t'allonger.

Ils descendirent dans la cabine.

— Tu as mal ?

Il serra son poing contre sa poitrine. Guillaume interrogea Aude du regard. La jeune fille, atterrée, ne savait que faire.

— Il faut rentrer, suggéra Guillaume. C'est peut-être le cœur ou quelque chose de grave.

— Merci, grimaça Pierre Brousseau. Attendez un peu, ça va passer.

Guillaume essaya de se souvenir de ses cours de secourisme. Il posa les doigts sur le poignet moite du professeur. Son pouls était irrégulier et rapide.

— Aude, aide-moi à monter les voiles.

Il courut lever l'ancre. Le vent avait tourné au nord-ouest et forci. Il se mit à la barre, Aude fit tourner le treuil de la grand-voile et le *Nirvana* pointa son étrave vers Cap-aux-Meules.

— Le foc ! cria Guillaume.

— Tu trouves pas qu'il vente un peu trop ? On devrait prendre un ris.

— T'inquiète pas. Je sais ce que je fais.

Le capitaine se trouvait hors de combat. Guillaume devenait responsable du bateau.

Aude tira sur la drisse de foc. La voile faseilla puis se tendit sous le souffle régulier du noroît. Le *Nirvana* monta au près, gîta un peu plus. Campé derrière la roue, Guillaume sentait frémir la masse du bateau sous ses doigts. La coque vibrait, les haubans gémissaient, les voiles claquaient, les drisses tintaient contre le mât d'acier. Combien de fois n'avait-il pas rêvé à ce scénario ? À la suite d'une catastrophe, il devait, lui, Guillaume le mousse, prendre la roue et rentrer au port. Plus jeune, il se voyait juché sur le siège capitonné de la *Marie-Guillaume*, manœuvrant sous les regards ébahis de tout Havre-Aubert. Depuis un an, il s'imaginait à la barre du voilier des Brousseau, le menant de main de maître dans la mer mauvaise.

— Tu ne vas pas à Havre-Aubert ? demanda Aude.

— L'hôpital est à Cap-aux-Meules.

— Je vais voir papa.

— Tout ira bien.

Il l'embrassa sur la joue. Elle réussit à sourire et disparut dans la cabine. Guillaume jeta un œil à l'avant. Dominant les jetées de ciment, la silhouette arrondie du cap aux Meules grandissait. Dans une demi-heure, ils seraient arrivés.

Aude remonta sur le pont. Son père allait mieux, mais une douleur lui pesait toujours sur la poitrine.

— Tiens la barre au trois cent trente. Je vais appeler la garde côtière.

Dans la cabine, Pierre Brousseau, étendu sur le dos comme un gisant, suait à grosses gouttes. Guillaume joignit la station de Cap-aux-Meules. Il donna ses coordonnées à un fonctionnaire à la voix nasillarde. Il lui expliqua sur un ton précipité qu'il rentrait au port avec un homme malade et demanda qu'une ambulance l'attende au quai.

L'homme redoutait une farce.

— T'as l'air jeune pour mener un voilier. Comment tu t'appelles?

— Guillaume Cormier, à André du Havre!

— OK, OK! L'ambulance va être sur le quai dans dix minutes.

Le *Nirvana*, toutes voiles amenées, fit son entrée dans le port de Cap-aux-Meules. Devant le cube de tôle ondulée de l'usine de poisson, les bateaux de pêche blancs étaient amarrés bord à bord, la proue pointée vers le large. Le long du quai principal, près des convoyeurs, des chalutiers cabossés, les flancs salis de traînées de rouille, attendaient de reprendre la mer. En plus d'être méfiant, le fonctionnaire devait être bavard : une quinzaine de curieux rôdaient autour de l'ambulance.

Sous les regards sévères des capitaines qui nettoyaient leur bateau au retour de l a pêche, Guillaume se prépara à la délicate manœuvre de l'accostage. Une main sur la roue, l'autre sur les commandes du moteur, il rangea le *Nirvana* derrière le traversier de l'île d'Entrée avec l'aplomb d'un pilote de 747. Deux hommes attrapèrent les amarres. Les brancardiers se précipitèrent dans la cabine, examinèrent sommairement Pierre Brousseau, le chargèrent sur une civière malgré ses protestations et l'enfournèrent dans l'ambulance vert fluo.

Aude grimpa à ses côtés.

— Je te rejoins là-bas, lui cria Guillaume.

Ses gyrophares déchaînés, l'ambulance s'éloigna dans un nuage de diesel. Guillaume cargua les voiles, vérifia les amarres et chargea un copain de la polyvalente, arrivé là par hasard, de veiller sur le voilier. Maintenant qu'il était revenu au port, que le père d'Aude était en sécurité à l'hôpital, il tremblait de tous ses membres.

Un homme lui offrit de le conduire à l'hôpital. Il préféra marcher. Il laissa l'ombre du cap, longea l'usine de Madelipêche et emprunta la rue principale. Sous le soleil de trois heures, Cap-aux-Meules faisait son numéro d'imitation de centre-ville. Des jeeps chargés de jeunes en verres fumés, des pick-up grinçant sous les cages à homard, des autobus de touristes, des familiales garnies d'enfants et de planches à voile se croisaient entre les commerces et les immeubles administratifs. Au milieu du tumulte, assis sur un banc entre la poissonnerie et le bureau de poste, deux vieillards anachroniques, habillés de pied en cap, commentaient le tournant du siècle.

Guillaume reprit son calme et ralentit le pas. Il n'était pas pressé d'arriver à l'hôpital. Il s'examina. Ses jeans était mouillés et portaient la trace de taches d'huile. Ses mains sentaient le varech. C'était toujours la même chose : quand il mettait le pied à Cap-aux-Meules, il éprouvait le besoin de se laver, d'être aussi propre et élégant que les branchés qui tétaient leur bière importée à la terrasse du *Bar Central*.

Cinq minutes plus tard, il pénétrait dans l'hôpital. C'était une construction neuve, d'inspiration cubiste, qui évoquait étrangement, mis à part la brique de sa façade et les arbustes exsangues de ses plates-bandes, l'usine de transformation de poisson.

À l'intérieur, Guillaume retrouva l'atmosphère feutrée, confortable, qu'il avait connue l'hiver précédent dans les grands centres commerciaux de la capitale. Une réceptionniste aimable le dirigea vers la salle d'urgence, où il demanda M. Pierre Brousseau.

La préposée débordée ne remarqua pas son accent.

— Vous êtes de la famille ?

— Oui, répondit Guillaume après une hésitation.

Elle lui indiqua une porte d'acier qui s'ouvrait, telle la gueule de l'enfer, sur la salle d'urgence. Habillés de blanc, des infirmières, des hommes de ménage, des médecins, des techniciennes couraient à petits pas pressés, comme si le plancher carrelé avait été une plaque chauffante.

Tout ce monde communiquait au moyen d'un dialecte jalonné d'abréviations. Au milieu d'eux, créant de l'obstruction, des profanes reconnaissables à leurs vêtements colorés quêtaient de l'attention.

Guillaume trouva Aude devant une porte ornée d'une plaque bleue : SALLE DE RÉANIMATION. Elle se précipita dans ses bras et se mit à pleurer en tremblant spasmodiquement.

— Qu'est-ce qu'il y a ?

— Je ne sais pas. Ils m'ont demandé de sortir.

Une jeune femme à lunettes ovales, stéthoscope autour du cou, sortit de la salle en chantonnant le dernier tube de Roch Voisine.

— On peut savoir ce qui se passe ? demanda Guillaume sur un ton agressif.

— Tout va bien, répondit la femme médecin en souriant. Quelques palpitations et beaucoup d'hyperventilation.

— De l'hyperventilation ! s'étonna Aude.

— De l'angoisse, si vous préférez. Nous le garderons pour la nuit, par mesure de prudence. Vous pouvez aller le voir.

La jeune femme leur adressa un dernier sourire et s'éloigna vers le poste de garde, en reprenant sa chansonnette à l'endroit précis où elle l'avait interrompue.

Aude et Guillaume poussèrent la porte de la salle de réanimation. Pierre Brousseau, couché sur une civière, un sérum au pli du coude, tentait de respirer le plus lentement qu'il pouvait. Sous sa chemise d'hôpital, des électrodes le reliaient à un moniteur où palpitait une ligne verdâtre.

Le professeur posa sur sa fille un regard honteux.

— J'ai l'air fin.

Aude se précipita vers son père et le serra dans ses bras.

— C'est pas grave. J'ai eu tellement peur...

— Le docteur dit que c'était rien. Je me suis énervé un peu...

Ils avaient tous les deux les yeux pleins d'eau. L'infirmière, une rousse rondelette qui remplissait son dossier au pied du lit, posa sur eux un regard attendri.

— Modérez sur l'émotion, monsieur Brousseau. Votre cœur va encore partir à l'épouvante.

Un infirmier fit son apparition. On transféra le malade aux soins intensifs, où on le brancha à une autre machine.

Guillaume regardait le père d'Aude. Il respirait normalement et reprenait des couleurs. Il tournait la tête vers sa fille, qui ne lui lâchait pas la main.

Guillaume s'éclipsa pour les laisser seuls. Quinze minutes plus tard, Aude le rejoignit dans la salle d'attente. Elle semblait soulagée et troublée en même temps. À la pharmacie voisine, elle acheta un roman policier et des articles de toilette. Elle alla les porter à son père et retrouva Guillaume devant l'hôpital.

Ils retournèrent au port. Le gardien leur demanda de déplacer leur voilier vers le havre de plaisance. Dans le calme de la fin d'après-midi, ils contournèrent la jetée et allèrent amarrer le *Nirvana* au milieu de ses pareils.

Guillaume éprouvait un grand plaisir à manœuvrer le voilier. Maintenant qu'il savait que le malaise du père d'Aude était sans gravité, il se prenait à bénir le requin de John à Wilfrid. Il se retrouvait seul sur le bateau avec son amoureuse, maître à bord après Dieu, jusqu'au lendemain matin.

Il téléphona chez lui. Comme son père était sorti, il laissa un message : il couchait à Cap-aux-Meules avec les Brousseau et

serait de retour le lendemain. Le répondeur ne lui laissa pas le temps de parler du
requin ou du malaise du capitaine.

C'était parfait.

16

HÉROS

Niché dans son croissant de béton, arraché à la mer à grands renforts de dragage de sable et de projets gouvernementaux, le port de plaisance de Cap-aux-Meules ne possédait pas le charme des havres naturels. En revenant de la cabine téléphonique, Guillaume lui trouvait pourtant la beauté des îles grecques entrevues sur les murs de l'agence de voyage de *Place des Îles*.

Aude fumait pensivement une cigarette sur le pont du *Nirvana*. Le soleil baissait derrière les buttes de L'Étang-du-Nord. Guillaume s'engagea sur les pontons du pas élastique d'un pilote rentrant de mission.

Il était un héros. Il avait plongé dans les eaux de l'Atlantique pour sauver sa belle des mâchoires d'un requin blanc. Le lendemain, la rumeur de son exploit ferait le tour des Îles. Qui sait ? Sa photo apparaîtrait peut-être dans les journaux du continent ? Les bonzes du tourisme grinceraient des dents : cette histoire de requin rôdant dans la baie ferait fuir les visiteurs. Déjà que l'eau avait un degré celsius de moins que l'été précédent...

— Voilà mon sauveur, claironna Aude quand il sauta à bord.

Guillaume ne dit rien. Ce n'était pas la première fois qu'Aude pénétrait ses pensées. Sa perspicacité l'inquiétait.

— Viens ici que je te donne un bec, dit-elle.

— C'est pas moi qui t'ai sauvé. C'est le bruit du moteur.

— Viens ici pareil. Au moins, tu as sauté à l'eau.

— Je voulais surtout pas qu'on dise que j'ai eu peur.

Elle l'embrassa sur le front, sérieuse. Elle lui redressa une mèche de cheveux.

— Maman disait ça : «La plus grande peur d'un homme, c'est de passer pour un peureux. Ça peut même le rendre courageux. »

— Ta mère avait pas une grosse opi-
nion de nous autres.

— C'est une femme du Lac-Saint-
Jean. Elle disait ça pour rire.

— C'est drôle. Tu parles d'elle au
passé.

— Tu fais la même chose avec Élise.

— Tu exagères.

— C'est pour ça qu'on se trouve de
notre goût : nos mères ont laissé leur mari.

— L'an dernier, ma mère était chez
nous.

— Elle était peut-être déjà partie dans
sa tête.

— On pourrait parler d'autre chose.

Aude exhala une bouffée de fumée
qui se perdit dans l'air calme du soir.
Ses grands yeux bruns avaient un éclat
mélancolique. «Méditerranéen», pensa
Guillaume en retrouvant son image d'île
grecque. Les événements de la journée
semblaient l'avoir épuisée.

Le soleil sombrait de l'autre côté de
l'île. L'ombre du cap gagna les voiliers
puis les lumières qui balisaient l'entrée du
port. Dans de vieux homardiers transfor-
més en bateaux de plaisance, des familles
sortaient pour taquiner le maquereau dans

la baie. La silhouette blanche du traversier s'éloignait vers l'Île-du-Prince-Édouard.

Ils enfilèrent des chandails. Sur le pont arrière, ils burent de la bière et mangèrent des sandwichs au thon. Aude demeurait lointaine.

Vers huit heures et demie, elle retourna à l'hôpital voir son père. Guillaume fit la vaisselle et un peu de rangement dans le voilier. Il sortit sur le pont. La nuit était tombée. Près de lui, sur un bateau battant pavillon américain, un papa blond comme au cinéma poursuivait un garçonnet en pyjama en brandissant une brosse à dents. De la cabine s'échappait l'écho d'une berceuse mécanique. Le rythme ralentit. Une main féminine tira le rideau du hublot. Une petite tête se laissait couler dans les rêves.

Le papa blond saisit le garçonnet à bras-le-corps et l'entraîna dans la cabine. Guillaume détourna la tête. Les scènes de bonheur familial le mettaient mal à l'aise. Il n'y avait pas si longtemps, il avait été lui aussi l'enfant d'un couple heureux. Maintenant, il ne rêvait plus que d'avoir un enfant à lui pour recréer une famille neuve, saine, et montrer à ses parents comment ils auraient dû s'y prendre.

Il aperçut Aude qui arrivait. Les bras croisés sur la poitrine, elle marchait pensivement, les yeux fixés au sol, insensible au spectacle de la marina ou des feux des bateaux qui dansaient devant l'île d'Entrée.

Elle fit le tour des quais et sauta à bord. Sans dire un mot à Guillaume, elle alluma une cigarette et s'allongea sur une banquette de la cabine.

— Qu'est-ce qu'il y a? demanda Guillaume. Ton père ne va pas bien?

— Il est en pleine forme. Il lit son roman policier dans son lit de soins intensifs. Tant qu'à être à terre, il regrette de ne pas avoir de télévision pour regarder les nouvelles.

— Son cœur?

— Pas un pet de travers. Tout le monde parle du requin dans l'hôpital.

Guillaume se taisait.

— Tu veux sortir? demanda-t-il après un moment.

— Bonne idée. Ça va me reposer du bateau.

Ils marchèrent jusqu'au *Bar Central*. Guillaume n'y était jamais entré. Aude et lui s'assirent dans un coin et observèrent le manège des dragueurs, touristes ou indigènes, qui évoluaient autour du comptoir de chêne. La musique était étrange, mais Aude semblait l'apprécier.

Ils burent une bière et revinrent au bateau. Tout à sa joie de passer une première nuit avec Aude, Guillaume avait imaginé un autre scénario que cette soirée maussade où ils avaient échangé des moitiés de phrases avec une ardeur de vieux couple.

Aude restait pensive. Piqué par son silence, Guillaume gagna l'arrière et se glissa dans la couchette des invités.

— Qu'est-ce que tu fais ? demanda Aude en glissant sa tête par la porte de la cabine de son père.

— J'ai l'impression que tu as le goût d'être seule.

— Viens ici.

Soulagé, il la rejoignit sur le matelas encastré dans l'étrave. Elle lui fit une place sous les couvertures et nicha sa tête au creux de son épaule.

— Qu'est-ce qu'il y a ? demanda-t-il.

— Papa m'inquiète.

— Tu as peur pour son cœur ?

— Pour sa tête. C'est dans la tête qu'il est malade. Tu aurais dû le voir à l'hôpital. Il avait craqué. Il avait honte. Il me faisait penser à un enfant.

— Peut-être qu'il ne s'est pas remis de sa séparation ? dit Guillaume en pensant à son père.

— C'est pire que ça. Il n'était pas aussi triste il y a deux ans, ou même l'an passé. Je ne le reconnais plus. Il est angoissé. Il se préoccupe de sa santé. Il a l'impression d'avoir raté sa vie. Des fois, j'ai l'impression qu'il est déprimé.

— Tu exagères.

— Je ne veux pas avoir un père malade. Je ne veux pas avoir un père déprimé.

— Tu es sévère. Il a besoin de toi.

— Avant, les parents n'avaient pas besoin de leurs enfants.

Guillaume sentit les larmes d'Aude couler sur son épaule. Les larmes étaient salées, comme la mer. En biologie, il avait appris que les liquides du corps humain avaient à peu de chose près la même composition que l'océan. Finalement, l'humanité n'était qu'un accident dans l'évolution du monde. Lui, Guillaume Cormier, n'était qu'un peu d'eau de mer galvanisée par cette âme dont parlaient les curés dans leurs églises, les poètes dans leurs chansons. Quand il naviguait à la barre du *Par là-bas*, il regardait toute cette vie qui s'agitait autour de lui, semblable à celle qui coulait dans ses veines. Il pensait aux noyés, aux marins du *Nadine* qui avaient coulé dans la mer glacée par une nuit de décembre. Au dernier moment, ces hommes avaient dû trouver leur mort agréable. Ils avaient dû éprouver une sensation d'engourdissement, d'abandon, qui ressemblait à l'amour.

Les larmes d'Aude tombaient toujours, comme la rosée d'un toit, sans qu'elle échappe un sanglot.

— Ton père ne peut pas rester un héros toute sa vie, dit Guillaume.

— Tu peux bien parler! Dans ta dernière lettre, tu disais que ton père se laissait aller et ne faisait plus rien de bon!

— C'est pour ça que je te comprends.

Ils se turent. La source salée se tarit. Aude se détendait, respirait plus librement, moulait son corps dur contre le flanc maigre de Guillaume.

— Sais-tu que tu es mon amoureux?

— J'espère.

— Mon cavalier.

— Ton cavalier?

— C'est un mot de ma grand-mère.

— Toi, tu es ma dulcinée. C'est un mot de Jean-Denis.

— Tu es mon cavalier qui m'a sauvée du requin.

— Qu'est-ce que tu fais là ?

Ils firent l'amour. C'était meilleur que la veille. Aude s'endormit. Guillaume resta éveillé dans le voilier bercé par les vaguelettes qui ridaient le havre. Il entrouvrit l'écoutille. Des bruits de pas sur les pontons, des éclats de voix lui parvinrent. Un équipage éméché réintégrait son bateau.

La tête d'Aude engourdissait son bras. Il se dégagea doucement, la regarda dormir dans la clarté jaunâtre des lampadaires. C'était la première fois qu'il dormait avec une femme. Derrière son bonheur, un sentiment d'impatience l'éloignait du sommeil. Il avait hâte de retourner à Havre-Aubert pour retrouver le mystère de l'abbé Donnegan.

17

UN BILLET DANS
UN VERRE DE BIÈRE

Après avoir subi une batterie de tests, le père d'Aude fut libéré de l'hôpital le lendemain midi. La jeune omnipraticienne aux lunettes ovales, qui semblait sensible à son charme, lui confirma que son cœur était en bon état, lui déconseilla l'alcool, la caféine et les émotions fortes et lui suggéra, avec toute l'assurance que lui permettaient ses vingt-cinq ans et ses cent soixante-deux centimètres, de faire le ménage de son grenier mental.

Rasséréné, son roman policier sous le bras, le professeur entraîna Aude et Guillaume dans un restaurant.

— Pas d'émotions fortes ! se lamentait-il comiquement. Pas de requin, pas de femmes, aussi bien crever tout de suite.

Il commanda une bière rousse. Aude ne riait pas. Son père ne l'avait pas habituée à ce genre de crâneries. Il finit quand même par la dérider. Il parlait abondamment, s'efforçait de reprendre son rôle de capitaine sans peur et philosophe.

Dès deux heures, par une bonne brise d'ouest, ils quittèrent Cap-aux-Meules et cinglèrent vers Havre-Aubert. La journée était belle. Les vagues d'un bleu foncé, presque violet, laissaient s'échapper des embruns qui s'irisaient au soleil. Très haut dans le ciel, au-dessus des nuages, les avions à réaction de retour d'Europe laissaient des striures de condensation. Pierre Brousseau, à la barre, chantonnait un air irlandais. Aude et Guillaume, grisés d'amour et de vent du large, échangeaient des mots doux en morse sur le pont avant.

Leur arrivée à Havre-Aubert attira Jean-Denis Painchaud et quelques curieux. L'histoire du requin avait fait boule de neige.

— Comme ça, le requin s'est sauvé avec ton couteau ?

— M. Brousseau a tous ses doigts ?

Au bout de cinq minutes et de dix questions, Guillaume et Aude purent

mesurer l'état de la rumeur. Partie de Cap-
aux-Meules, elle avait pris à Havre-
Aubert, vingt-quatre heures plus tard,
la tournure suivante : alors qu'elle se
baignait nue près d'un voilier ancré dans
la baie de Plaisance, une jeune touriste
avait été attaquée par un requin blanc.
Son père et son ami avaient plongé à sa
rescousse. Le requin avait mordu la main
du père avant de s'enfuir avec le couteau
de l'ami planté dans le flanc. Le père avait
perdu un doigt et avait été admis aux
soins intensifs, atteint d'une infection rare
et presque toujours mortelle.

— Aux Îles, on sait quoi faire avec
une rumeur, reconnut le père d'Aude en
hochant la tête.

Bien que sensible à l'attention dont il
faisait l'objet, Guillaume avait hâte de
rentrer chez lui. Après avoir épluché
l'épisode du requin, Jean-Denis lui fit
comprendre qu'il voulait lui parler en
privé. Guillaume prit congé de son hôte.
Aude l'embrassa et lui donna rendez-vous
au Café dans la soirée.

Les deux amis s'éloignèrent et retrouvèrent leur quartier général du bar laitier.

— J'ai des nouvelles pour toi, annonça Jean-Denis.

— Bourque ?

— Il a passé l'après-midi d'hier au Palais de justice. Il cherche quelque chose.

— Tu as pu savoir quoi ?

— D'après Gertrude, il fouine dans de vieux contrats de notaire. Elle ne sait rien sinon qu'il est dans les « B ».

— Il est reparti où ?

— Vers Cap-aux-Meules, dans une auto louée. J'ai appelé dans les hôtels. Je n'ai pas retrouvé sa trace.

— Et Henry Ratcliffe ?

— *Nothing.* J'ai fouillé partout, j'ai interrogé tout le monde. Même le père Turbide ne sait pas qui c'est.

— Quoi ? Tu en as parlé au père Turbide !

— Ben oui... Tu ne m'avais pas dit de m'en méfier.

— Godême !

Jean-Denis était si penaud qu'il en oubliait sa crème glacée.

— Qu'est-ce qu'on fait, patron ?

— Arrête de m'appeler patron. Il faut retrouver Bourque. On ne peut rien faire tant qu'on ne met pas la main sur le poème de l'abbé Donnegan. C'est comme si on avait seulement la moitié du plan d'un trésor.

— Un trésor... Un trésor... Tu me fais rire avec tes histoires de trésor ! Je te gage que tout ce qu'on va trouver, c'est une vieille boîte à souliers pleine d'argent de Monopoly !

— *Taisse-to.* Et parle pas de trésor ici. Je m'en vais réfléchir à la maison.

— C'est ça : réfléchis, Sherlock Holmes ! Pendant ce temps-là, j'irai à la plage !

— Salut, Watson !

Guillaume s'éloigna sans se formaliser de son engueulade avec Jean-Denis. Enfants, ils se querellaient et se réconciliaient trois fois par jour. Ils échangeaient injures et coups de poing et se juraient une haine éternelle. Guillaume traversait le clos qui séparait leurs maisons et faisait sursauter sa mère en claquant la porte. Deux heures plus tard, l'un des ennemis oubliait la querelle et appelait l'autre.

Guillaume regarda sa montre. Trois heures. Son père ne serait probablement pas à la maison.

La vie est dure pour les cow-boys
*   du Québec*
Une job par-ci, par-là
C'est pas comme aux États

Une bouffée de musique western accueillit Guillaume dans le tambour. La cuisine était rangée. Près du réfrigérateur, une caisse de bière entrouverte signalait un jour de marée basse.

Guillaume trouva son père dans le salon, un cigarillo au coin des lèvres, enveloppé d'une débauche de guitare hawaïenne.

— Te voilà! Une chance que tu m'as laissé un message sur le répondeur, j'étais sûr que le requin de John à Wilfrid t'avait gaffé!

Sans dire un mot, Guillaume s'assit dans la chaise berçante et saisit la commande à distance de la chaîne stéréo. Il appuya d'abord sur *MUTE*, puis se ravisa et baissa le volume de moitié.

— Raconte-moi ton aventure, dit son père. Il paraît que tu as sauvé ta blonde de la mort!

André Cormier n'était pas ivre. Ses yeux mi-clos distillaient pourtant une gaieté inquiétante.

— Qu'est-ce que tu as? demanda Guillaume. Tu sembles de bonne humeur.

— C'est pas permis? J'ai eu de la visite ce matin.

— Qui?

— J'ai des bonnes nouvelles pour toi.

André Cormier se leva, marcha jusqu'à la bibliothèque d'Élise, déplaça deux volumes et exhiba une liasse de billets de banque, qu'il fit craquer comme un jeu de cartes.

— Dix mille dollars! US! Des beaux billets de cent tout neufs!

Il jeta l'argent sur les genoux de Guillaume.

— C'est à toi.

Les yeux exorbités, Guillaume fixait son père.

— Tu n'as pas fait ça?

— Je suis pas un fou. J'ai pris mes précautions.

André Cormier tira de ses poches un papier fripé sur lequel était tracé, de son écriture malhabile, le message codé de l'abbé Donnegan.

Blanc de rage, Guillaume lança les dix mille dollars vers son père. Un billet se détacha de la liasse, virevolta et sombra dans son verre de bière.

— Voilà ce que j'en fais, de ton fric! Tu as vendu ma croix à ce bandit sans m'en parler? Je ne te le pardonnerai jamais!

Il se leva et se dirigea à grands pas vers sa chambre, son père furieux à ses trousses.

— Qu'est-ce que tu penses que ça vaut, une petite croix de même ? *Nothing at all!* Maintenant, tu as l'argent et le message !

Guillaume n'écoutait pas. Il grimpa l'escalier quatre à quatre et s'enferma dans sa chambre. Son père frappa violemment sur la porte.

— Sors de là ! Tu peux courir après ton maudit trésor ! Sais-tu c'est quoi, dix mille piastres ?

— Je veux pas le savoir !

— C'est de quoi te payer un an de collège ! Penses-tu que j'ai les moyens de cracher sur dix mille piastres ?

Guillaume ne répondit pas. Il courut à sa garde-robe. Sa cachette était vide. Son père devait la connaître depuis des années. Quel idiot il avait été de ne pas cacher la croix dans un endroit plus sûr !

Sa décision était prise. Son père frappa de nouveau à la porte, plus doucement.

— Guillaume ?

Guillaume sortit sa poche de hockey et la vida sur le lit. Son équipement plié pour la saison morte répandit une odeur de naphtaline qui lui donna envie de pleurer. Il ouvrit ses tiroirs et fit son bagage. Chandails, pantalons, bas, sous-vêtements, il fourra son linge, pêle-mêle, dans le sac de toile où traînait sa vieille rondelle.

— Je serai en bas quand tu voudras me parler, tête de pioche !

Les pas pesants d'André Cormier descendirent l'escalier. Guillaume regarda sa rondelle. Ses arêtes étaient émoussées. Sur une face, gravées au couteau, deux initiales : AC. Son père lui avait donné cette rondelle quand il avait commencé à jouer au hockey. Miraculeusement, il ne l'avait pas perdue comme les autres. Au dégel, il la retrouvait aux abords de la patinoire. À l'automne, elle l'attendait au fond de la cave ou dans la remise. Guillaume avait fini par la traiter comme un porte-bonheur et la garder dans son sac.

C'était longtemps auparavant. À cette époque, ses parents semblaient heureux. Guillaume déposa la rondelle en évidence sur un coin de son bureau.

C'était fini. Il en avait assez de son père. Il ramassa les lettres d'Aude, ses notes et les fourra dans une poche de côté. Il ouvrit la fenêtre et déposa son sac sur le toit du tambour. Il passa une jambe dans l'ouverture. Le cœur serré, il jeta un regard sur sa chambre.

Au milieu du désordre, la rondelle semblait le regarder. Guillaume revint à l'intérieur, saisit son porte-bonheur et le remit dans son sac. Sans faire de bruit, il s'avança vers le bord du toit. Il lança sa poche sur le gazon et sauta.

18

LE GENTLEMAN DE BOSTON

Guillaume gagna le chemin et marcha d'un pas décidé vers le Palais de justice. Son air farouche et son bagage faisaient tourner les têtes des automobilistes qui prenaient le chemin d'en Haut.

Il tourna à gauche et descendit vers la Grave. Sa fugue le grisait. Il croisa son oncle Maurice, qui lui jeta un regard intrigué. Guillaume l'ignora, ralentit le pas et releva la tête. Il n'était pas malheureux d'exposer ses griefs à tout le village. Son coup d'éclat établirait pour toujours sa réputation d'indépendance. Quand on vit au vu et au su de tout le monde, aussi bien en profiter.

Bathilde étendait son linge à l'arrière de la maison, insouciante du touriste qui la photographiait de la grève.

Guillaume s'approcha et déposa son sac sur les galets.

— Tu as oublié ton hockey, dit la vieille fille, le visage fermé.

— J'en ai pas besoin.

— Ta laveuse est brisée?

— Pas vraiment. C'est du linge propre.

Bathilde Cyr regarda Guillaume, puis tourna ses yeux gris vers les dunes qui tremblaient de l'autre côté du havre.

— Prends la chambre à l'ouest. Le lit est plus dur.

Guillaume saisit son sac et pénétra dans le vestibule de la maison. Malgré les fenêtres ouvertes, il retrouva l'odeur de bois verni. Au lieu d'obliquer vers la cuisine, il prit l'escalier aux marches hautes, étroites, et gagna l'étage. Il posa son sac sur la courtepointe usée qui recouvrait le lit de la chambre du fond. Bathilde et lui savaient depuis longtemps qu'il ferait un jour escale dans la maison de la Grave.

Il redescendit. La vieille fille avait retrouvé son poste d'observation et préparait du thé.

Guillaume s'assit à sa place habituelle. Ses mains tremblaient encore.

— Mon père a vendu ma croix à l'Américain.

Bathilde regardait par la fenêtre.

— Combien ?

— Dix mille.

— Dix mille ? Cet Américain-là est vraiment chaviré. Ton père a bien fait.

— Il n'avait pas le droit.

— C'est pour ça que tu as fait ton gréement ?

— Il n'avait pas le droit ! La croix était à moi !

— Tu devrais être content. L'Américain a payé dix mille dollars pour ta croix. Ça prouve que ton histoire de trésor n'est pas si folle que ça.

— Maintenant, Bourque a tous les atouts dans son jeu. Il doit être rendu à l'île Brion à l'heure qu'il est.

— L'île Brion ?

— C'était écrit sur la croix. Dites ça à personne.

Bathilde Cyr déposa une assiette de galettes devant Guillaume. Il les repoussa et se croisa les bras sur la table, boudeur.

— Si le père Turbide n'avait pas montré la croix à Bourque, je n'en serais pas là...

La vieille fille parut fâchée. Du doigt, elle indiqua à l'adolescent la porte de la salle de bains.

— Va te laver les mains ! Au lieu d'accuser le père Turbide, tu devrais lui faire une visite. Il a peut-être des choses à te conter.

— Vous pensez ?

— Grouille. J'ai des tartes à faire pour le Café. Le souper est à six heures. Tapant.

Guillaume avala trois galettes et prit le chemin du musée. Il était quatre heures. Les cheveux gommés par l'eau salée, le visage brûlé par le soleil, les vacanciers de retour des plages envahissaient les terrasses des restaurants. Guillaume scruta le *Nirvana* dans la marina des plaisanciers. Aude n'était pas à bord.

Il gagna le cap Gridley. Le musée baignait dans une fraîcheur agréable. Le père Turbide pilotait un groupe de visiteurs dans la salle consacrée à la marine. Dix minutes plus tard, il rejoignait Guillaume dans son bureau et lui tendait la main.

— Félicitations ! J'ai toujours pensé que tu étais courageux, mais franchement, un requin blanc !

Le ton du prêtre était moqueur. Il en voulait à Guillaume de le tenir à l'écart de ses aventures. Il lui fit conter l'épisode du requin en détail et attendit, en tirant sur sa pipe, que l'adolescent lui révélât le but de sa visite.

Guillaume se tortilla, puis interrogea le curé au sujet d'Henry Ratcliffe.

— Ratcliffe ? Jean-Denis m'en a glissé un mot l'autre jour. Au début, le nom ne me disait rien, puis je me suis souvenu d'un bouquin...

Le directeur du musée marcha jusqu'à un coffre-fort encastré derrière la bibliothèque.

— Vous prenez vos précautions, observa Guillaume.

— On n'est jamais trop prudent.

Le père Turbide fit la combinaison et tira du coffre un livre à la tranche pourpre.

— Il paraît que certains sont prêts à payer le gros prix pour tout ce qui touche à la croix de l'abbé Donnegan...

— Vous savez que mon père a vendu la croix à Bourque ?

— Les nouvelles circulent vite.

Obnubilé par le livre, Guillaume renonça à découvrir les sources du prêtre.

Le père Turbide retourna s'asseoir dans son fauteuil et ouvrit sa trouvaille à la page titre.

— *Where America was born*, lut-il. A *history of New England, by George Whitmore.*

— Vous avez trouvé quelque chose au sujet d'Henry Ratcliffe ?

— Page 179... C'est ici.

« Au lendemain de la déclaration de la guerre d'Indépendance de 1776, la situation devint confuse dans la région de Boston. La majorité des notables de la ville se rallia à la cause des rebelles. Les commerçants y voyaient une occasion de se libérer des taxes imposées par Londres et d'accroître leurs profits. Certains nobles restèrent fidèles à la Couronne et combattirent le soulèvement au sein des forces anglaises.

« D'autres, enfin, profitèrent des troubles pour se lancer dans la contrebande. Ils rassemblèrent des équipages de repris de justice et de déserteurs et armèrent des vaisseaux. Ils établirent un commerce lucratif avec les colonies du Nord et les Antilles. Parmi ces trafiquants, le plus original fut sans doute Henry Ratcliffe

(1748- ?). Issu d'une puissante famille de marchands bostonnais, ce gentilhomme érudit, féru d'histoire et d'astronomie, avait publié des vers dans sa jeunesse. Pour une raison inconnue, il quitta sa riche demeure de Bunker Hill pour devenir contre-bandier. Dans les années 1780, il écuma les côtes de l'Atlantique, terrorisant les populations de pêcheurs. On perdit sa trace vers 1790. Selon certaines légendes, son navire, le *Sagittarius*, se perdit dans une tempête. Selon d'autres, Ratcliffe tua cruellement ses hommes, monnaya son butin et finit ses jours en Dominique. »

Le père Turbide leva les yeux. Guillaume Cormier souriait comme un gagnant de loterie.

— Hum !... C'est rien pour te ramener sur terre, observa le prêtre.

— Je le savais ! J'avais raison ! D'où vient Bourque ? De Boston ! C'est un historien. Il doit être au courant de la légende de Ratcliffe. C'est pour ça qu'il a donné dix mille dollars pour la croix. Il flaire le trésor.

— Sans la croix, il ne pouvait comprendre le poème du Shakespeare de l'abbé Donnegan. Mais quel rapport y avait-il entre le missionnaire et ce Ratcliffe ?

— L'abbé Donnegan a visité les Îles-de-la-Madeleine entre 1776 et 1792. À la même époque, Ratcliffe jouait au pirate dans l'Atlantique. Il a pu venir ici.

— Et cacher son butin à l'île Brion ? demanda le prêtre en souriant.

— Et cacher son butin à l'île Brion.

— Qu'est-ce qui te dit qu'il y est encore ?

— Rien. Mais rien ne me prouve le contraire. Si le *Sagittarius* a coulé corps et biens, comme le prétend la légende, le trésor a pu dormir dans sa cachette pendant deux cents ans. Il ne reste plus qu'à aller le chercher.

— Il te manque le poème. Si ton histoire est vraie, il doit préciser l'emplacement du trésor. L'île Brion, c'est grand.

— Il faut partir au plus vite ! protesta Guillaume. Maintenant, Bourque a tous les éléments de l'énigme. La croix lui donne les coordonnées de l'île Brion. Le poème lui donne l'emplacement du trésor.

— Tut, tut, tut ! Tu vas trop vite. Bourque a le poème, mais il ne l'a sûrement pas déchiffré ! Réfléchis un peu. Qui a transcrit ce poème ?

— L'abbé Donnegan.

— Qui a fait graver les coordonnées de l'île Brion sur la croix ?

— L'abbé Donnegan.

— Qui a écrit le nom de Henry Ratcliffe dans la cloche ?

— L'abbé Donnegan. Probablement.

— Ma question est celle-ci : pourquoi a-t-il pris la peine de laisser tous ces indices derrière lui ?

— Je ne sais pas.

— La réponse est simple : il n'avait pas trouvé la clé de l'énigme ! L'abbé Donnegan savait que Henry Ratcliffe avait caché un butin sur l'île Brion. Il possédait le poème, mais il n'a jamais pu trouver le trésor !

— Vous croyez ?

— J'en suis certain. Ne t'inquiète pas pour Wilfred Bourque ! Il ne trouvera pas en une semaine ce que l'abbé Donnegan n'a pu trouver en une vie !

Guillaume Cormier n'était pas convaincu par les théories du prêtre.

— Vous avez peut-être raison, mais ça ne me donne pas le poème. Mon idée est faite : il faut se rendre sur l'île au plus vite, au moins pour surveiller Bourque. C'est la seule piste que nous avons.

Le père Turbide regarda l'adolescent d'un air affectueux.

— Tu vas trop vite, Guillaume. Si elle s'est déroulée comme je le pense, cette histoire a laissé des traces. Fais-moi confiance. Avant de partir en expédition, donne-moi vingt-quatre heures.

— Je vais y penser.

Guillaume se leva. Avant de quitter le bureau, il se tourna vers le directeur.

— Vous avez dit vingt-quatre heures ?

— Tu as de bonnes oreilles.

— D'accord. Ça me laissera le temps de faire mes préparatifs.

— Marché conclu. Une dernière chose : quand tu voudras fouiner dans le musée la nuit, demande-moi les clés. Ça t'évitera de te casser le cou en passant par le soupirail.

19

LES VISITEURS DU SOIR

Guillaume quitta le musée en proie à une excitation qu'il avait peine à dissimuler. La lumière de fin d'après-midi dorait les bardeaux des boutiques. Le vent tombait. Aucun nuage ne menaçait à l'horizon. Insensible à ces signes de beau temps, Guillaume marcha jusqu'à la marina.

Il n'y avait personne sur le *Nirvana*. Guillaume se sentit soudain triste. Il alla machinalement vérifier les amarres de son voilier. Son exaltation s'était envolée, laissant la place à des relents de sa dispute avec son père. Les conséquences de sa fugue lui apparaissaient. Il imagina son père errant dans la maison, le cœur embrumé, le verre à la main. Il s'était emporté. Il aurait dû prendre le temps de réfléchir avant de jouer les vierges offensées et de quitter la maison. Son père avait peut-être raison : ses histoires de trésor lui troublaient les idées.

Il avait besoin de parler à Aude. Il la trouva au Café. Elle lisait, seule avec une cigarette et un cappuccino. Il la regarda et la trouva belle. Des souvenirs de la nuit précédente l'envahirent. C'était vraiment sa semaine de chance : en trois jours, il avait découvert la piste d'un trésor, il avait conquis le cœur de sa blonde de Québec et il s'était couvert de gloire en la sauvant d'un requin. Dommage qu'il se soit brouillé avec son père...

Il pénétra dans le Café. L'oncle de Jean-Denis le taquina au sujet de son exploit.

— Es-tu trop célèbre pour aller aux moules ? Je vais en manquer.

— Craignez pas. J'irai demain.

— As-tu vu Jean-Denis ?

— Pas depuis trois heures.

— Bizarre... Je l'ai envoyé faire une commission à Cap-aux-Meules. Il m'avait dit qu'il serait de retour à cinq heures.

Guillaume alla s'asseoir en face d'Aude. La jeune fille saisit sa main et l'enveloppa d'un sourire chaleureux.

— J'avais hâte de te voir, dit-il.

— Moi aussi.

Il fit le récit de la scène avec son père et son déménagement chez Bathilde. Aude l'écoutait, ses pupilles noires dilatées par l'intérêt.

— Tu t'es sauvé par la fenêtre, avec ton sac de hockey ! s'étonna-t-elle.

— J'étais quand même pas pour sortir par la porte !

— Décidément, on a de la misère avec nos pères.

Aude alluma une nouvelle cigarette, sans remarquer le regard désapprobateur de Guillaume.

— C'est vrai que ton père n'aurait pas dû vendre la croix sans te le demander. Mais il n'a pas voulu mal faire. Il devait penser que Bourque retirerait son offre s'il te consultait.

— Il savait l'importance que la croix avait pour moi.

— D'un autre côté, ton père avait raison : la croix ne valait pas dix mille dollars. Il a fait une bonne affaire.

Guillaume explosa.

— Comment ça, une bonne affaire ? Et le trés... ?

Il regarda autour de lui et continua à voix basse :

— Penses-tu que Bourque n'a pas calculé son coup ? Il sait que... ce que tu penses vaut beaucoup plus que dix mille dollars !

Aude souriait comme une mère qui s'amuse des gamineries de son garçon. Guillaume poussa un soupir de rage.

— Tu ne me crois pas ? Écoute...

Il lui conta sa visite au père Turbide. Les révélations au sujet d'Henry Ratcliffe, gentleman-pirate, ébranlèrent le scepticisme de la jeune fille.

— Je commence à croire que tu as raison. Il y a peut-être réellement un trés...

— Chut !

— Un ours polaire à l'île Bri... euh... là-bas.

Guillaume lui caressa le genou.

— Qu'est-ce que tu dirais si on devenait riches ?

— Que l'argent ne fait pas le bonheur.

— Ça aide.

Il tut à Aude la pensée qui l'effleurait : s'il devenait riche, il avait de meilleures chances de la garder. L'écart entre eux serait moins visible. Il pourrait faire des études et trouver un bon emploi à Québec.

Il pourrait lui offrir des voyages, une grande maison, des tableaux, de beaux meubles. On avait beau dire, les femmes étaient sensibles au pouvoir de l'argent.

Il rêvait toujours lorsque son regard s'arrêta sur sa montre.

— Six heures et cinq ! Bathilde va me tuer !

— Tu ne veux pas souper sur le bateau ?

— Je te rejoins plus tard. Bathilde m'attend.

Il sortit et traversa au pas accéléré les cinquante mètres qui le séparaient de sa nouvelle maison. Son couvert attendait au coin de la table. Bathilde lui adressa un regard sévère et lui servit sans mot dire un maquereau au four. Il mangea avec appétit pendant qu'elle avalait un potage. Il lui raconta sa visite au musée.

Bathilde ne dit rien. Elle se servit une nouvelle tasse de thé et revint s'asseoir en face de Guillaume.

— Maintenant que tu me dis ça, cette histoire de pirate me rappelle quelque chose, dit-elle rêveusement.

— Quoi ?

— Je ne sais plus. C'est tellement loin... J'étais toute petite... Ça me reviendra peut-être.

— Forcez-vous, dit Guillaume, qui en oubliait son assiette.

— Prends ton temps, jeune homme ! J'ai pas de bouée sur ma *trawl* à souvenirs !

Il se tut. La clé du mystère reposait sous le front lisse de sa vieille amie. Il retint son souffle pendant que Bathilde, aussi immobile qu'une statue, dérivait dans son enfance.

— Ça ne vient pas, trancha-t-elle. Je suis désolée, mais il faudra attendre.

Guillaume essaya de ne pas laisser paraître sa déception. Il se leva et monta à sa chambre. Il sortit pour la trentième fois ses papiers et se perdit dans la contemplation des messages de l'abbé Donnegan.

William Donnegan anno domini 1770
47N48 61W29
HENRY RATCLIFFE

Il alla s'accouder à la fenêtre. Sous ses yeux, la marée montante roulait les galets de l'anse. À sa gauche, le soleil descendait derrière les Demoiselles. À sa droite, surmonté du musée et des socles en ciment des vieilles citernes de la Irving, le cap Gridley. Entre les deux s'étendait le mince croissant de la Grave. Guillaume bascula deux siècles plus tôt. Il vit ses ancêtres acadiens revenir du large dans leurs doris. Il les vit décharger leur morue et l'éviscérer sur la grève, sur des étals assiégés par les goélands. Il vit les femmes, foulard sur la tête, disposer les filets de poisson sur les vigneaux pour les faire sécher au soleil. Au milieu d'eux, drapé dans une soutane sale, marchait un prêtre au teint clair, qui parlait un mélange d'anglais, de latin et de gaélique, l'abbé Donnegan. À son cou pendait une croix d'argent ornée d'un message codé.

Guillaume Cormier ferma les yeux. Son imagination s'enflammait. Il sortit et retourna à la marina. Aude et son père prenaient le café dans la cabine du *Nirvana*. Pierre Brousseau, sans doute mis au courant de sa fugue, se montra encore plus aimable que d'habitude. Il semblait remis de ses émotions de la veille. Pourtant, Aude le regardait d'un œil inquiet.

Ils jouèrent aux cartes derrière les hublots embués par le serein. Ensuite, le père d'Aude partit écouter un groupe de jazz.

— On va se promener ? demanda
Aude.

Guillaume aurait aimé rester avec elle
dans le voilier. Ils enfilèrent des tricots
et sortirent dans l'air frais du soir. Ils
marchèrent jusqu'au quai des pêcheurs,
bras dessus, bras dessous, comme de vrais
amoureux. En revenant, Guillaume invita
Aude au Café. Elle préféra aller se coucher.

Il la regarda s'éloigner vers la marina.
Aude était comme la Lune. Elle avait ses
phases croissantes et décroissantes, ses
éclipses. Vivre auprès d'elle n'était pas
ennuyant. Il se passait toujours quelque
chose.

Il était près de dix heures. Des bribes
de jazz s'échappaient de la salle de spectacle. Des touristes en pantalon blanc,
chandail noué sur les épaules, sortaient
des restaurants. Guillaume se sentit
soudain fatigué et rentra chez Bathilde.

Une grosse Chrysler était stationnée
près de la maison. Par la fenêtre, Guillaume entrevit un homme assis en face
de Bathilde à la table de la cuisine. Il
reconnut Vilbon Chiasson, un riche commerçant de Cap-aux-Meules.

Qu'est-ce que Vilbon Chiasson pouvait faire à dix heures du soir dans la

cuisine de Bathilde ? Il chercha dans sa tête et ne leur trouva aucune relation commune, pas même un brin de parenté. Il entra discrètement et se faufila vers l'escalier.

— C'est toi, Guillaume ? demanda Bathilde.

— Oui.

— J'ai laissé des serviettes dans la salle de bains.

Le message était clair. Guillaume monta à l'étage et prit un bain. Des échos de la grosse voix de Vilbon Chiasson filtraient du rez-de-chaussée, parfois interrompus par les « r » grasseyants de Bathilde.

Guillaume se lava distraitement, intrigué par le visiteur. En sortant de la salle de bains, il n'y tint plus. En t-shirt et caleçon, il s'avança à pas de loup le long du corridor, en prenant garde de ne pas faire craquer le plancher centenaire. Il gagna l'avant de la maison, s'allongea sur le parquet et rampa jusqu'au bord de la prise d'air qui surplombait le poêle de la cuisine.

Il était aux premières loges.

— Je ne sais plus trop quoi faire avec, soupira Vilbon Chiasson.

— Donne-lui des parts dans le magasin. Le temps va arranger les choses.

Guillaume écouta et finit par comprendre. Le gros Vilbon parlait de son fils récemment mêlé à une affaire de drogue. Bathilde écoutait, donnait de temps en temps son avis. Guillaume sourit. Il perçait enfin le mystère des visiteurs de son amie. À la nuit tombée, quand Bathilde recevait des hommes, elle ne faisait commerce que de sa patience et de sa sagesse. Elle les écoutait beaucoup, les conseillait parfois. Ils trouvaient chez elle la compréhension qui leur manquait dans leur milieu. Au fil des années, de bouche à oreille, les visiteurs avaient fini par former une petite confrérie imperméable aux racontars des commères. Ces dernières étaient sans doute furieuses de voir Bathilde, si fière de son quant-à-soi, apprendre sans effort, au milieu de sa cuisine, ce qu'elles mettaient des jours à déterrer.

Le téléphone sonna. Bathilde répondit.

— Je vais lui demander. Un instant...

Les pas de Bathilde se dirigèrent vers l'escalier. Guillaume retraita en vitesse à sa chambre, ferma la lumière et se glissa sous les draps.

Bathilde cogna à la porte et entra. Il fit semblant de s'éveiller.

— As-tu vu Jean-Denis ce soir ? Sa mère s'inquiète. Elle n'a pas eu de nouvelles depuis ce midi.

Guillaume avait parlé à Jean-Denis au bar laitier à trois heures. Il ne pouvait rien dire de plus.

Bathilde redescendit. Dans le noir, Guillaume l'entendit échanger quelques mots avec Mme Painchaud. La porte d'entrée claqua. Vilbon Chiasson, le cœur plus léger, retournait à ses affaires.

Dans son lit, Guillaume fixait le plafond. Jean-Denis n'avait pas l'habitude de rentrer tard sans avertir ses parents. Que signifiait sa disparition ? Avait-il trouvé la trace de Wilfred Bourque ? Avait-il plus simplement rencontré l'âme sœur à Cap-aux-Meules ?

Pour la première fois, il ressentit la peur. Que savait-il de ce Bourque ? Dix mille dollars représentaient une grosse somme. Avait-il entraîné Jean-Denis dans une aventure dangereuse ?

Il frissonna. La nuit avait fraîchi. Il se leva et alla fermer la fenêtre.

Bathilde s'affairait en bas. Il perçut des bruits de vaisselle, le claquement mat de la porte du réfrigérateur, puis les pas de la vieille fille qui faisait le tour des pièces en éteignant.

Il entendit trois coups furtifs, puis le grincement caractéristique de la porte arrière. Une voix d'homme lui parvint. Un nouveau visiteur se présentait, cette fois en passant par la grève.

Un dialogue s'ébaucha. Guillaume tendit l'oreille. Pas de doute : il connaissait cette voix. Il sauta du lit et retourna en catimini à son poste d'observation.

20

LE GRENIER DES FLAHERTY

Avec mille précautions, Guillaume avança son visage au-dessus de la prise d'air. Il n'avait pas eu la berlue : trois mètres sous lui, la charpente massive du père Turbide faisait craquer une chaise de la cuisine.

— Il est ici ? demanda le prêtre.

— Il dort en haut, répondit Bathilde.

— C'est vrai qu'il est parti de chez lui ?

— En tout cas, il est arrivé ici avec son butin. André m'a appelée avant le souper. Je l'ai rassuré. C'est une crise de mousse. Dans deux jours, tout sera oublié.

— André ne doit pas en mener large. Après Élise, Guillaume qui s'en va...

— Son histoire de trésor lui est montée à la tête. Tu n'as pas encore trouvé moyen de le ramener sur terre ?

Guillaume écarquilla les yeux. Bathilde tutoyait le père Turbide ! À part ses vieux amis de Havre-aux-Maisons, personne ne se permettait de pareilles familiarités avec le curé.

— Hum !... Le problème, c'est qu'il a peut-être raison.

— Tu ne crois quand même pas à ses folies ?

— Tu n'as jamais entendu parler du trésor de Brion ?

Bathilde ne répondit pas. Les lèvres pincées, elle fouilla une nouvelle fois dans ses souvenirs.

— C'est tellement vague, finit-elle par murmurer. Ça m'est presque revenu tantôt quand je soupais avec Guillaume. J'ai l'impression que c'est une légende.

— Nathaël Cormier saurait ça, avança le père Turbide.

— Nathaël ! Tu ne vas quand même pas aller quémander chez lui !

Décidément, Bathilde et le prêtre se parlaient avec une liberté de vieux complices. Ils ressemblaient à des gens qui se téléphonaient deux fois par jour. Guillaume comprenait maintenant pourquoi Bathilde lui avait suggéré d'aller au musée.

— Tu as raison, concéda-t-il. Je ne peux pas aller voir Nathaël. Il serait trop content de refuser de me parler. Guillaume peut y aller, lui...

— Es-tu fou ?

— J'ai réfléchi à toute cette histoire. Il semble y avoir trois pistes : la croix, le poème du livre de Shakespeare et l'inscription dans la cloche de la chapelle. Mais il en existe une quatrième.

— Laquelle ? demanda Bathilde en bâillant.

— Louis Boudreau. Il avait la garde de la chapelle. Il recevait l'abbé Donnegan quand il était de passage aux Îles. C'est peut-être lui qui a fait graver le message codé dans la cloche. Il a pu transmettre quelque chose à ses enfants.

— Et Nathaël descend de ces Boudreau-là...

— Par sa grand-mère. Tu sais qu'il a les papiers du père Charles-Nazaire. Il n'a jamais voulu me les montrer ! Moi, le directeur du musée ! Une vraie honte !

— On recommencera pas cette chicane-là.

Le prêtre croisa les jambes et échappa un soupir qui traduisait la gravité de son contentieux avec le rebelle.

— J'ai appris autre chose. J'ai télé-
phoné à Euclide Landry à Arichat. Il m'a
parlé d'une lettre de l'abbé Lejamtel qui
dit que les registres de l'abbé Donnegan
ont été perdus aux Îles.

— Et puis après ? dit Bathilde qui bâillait de plus belle.

— Voyons, Bathilde ! L'abbé Lejamtel
a été curé d'Arichat vers 1793. Cette lettre contredit la légende qui veut que les
premiers registres des Îles aient brûlé dans
l'incendie du presbytère d'Arichat en
1838 !

— Autrement dit, ces registres exis-
tent peut-être encore aujourd'hui ?

— On ne sait jamais.

— Autrement dit, ils sont peut-être
cachés à l'île Brion avec le trésor du pirate
de Boston ?

— C'est toi qui le dis.

— Bonne sainte Anne ! Tu es pire
que Guillaume !

— Imagine que je mette la main sur
ces registres ! Les mariages et les baptêmes
des Îles entre 1776 et 1792 ! Quinze ans
d'histoire retrouvés ! Ce serait la découverte de ma carrière !

Un fracas de vitre brisée souffla l'enthousiasme du père Turbide. Guillaume se

retourna : le bruit provenait de sa chambre. Il se leva et réintégra en trottinant ses quartiers. Déjà les pas de Bathilde et du prêtre montaient l'escalier.

Le vent d'ouest s'engouffrait par la fenêtre de sa chambre. Sur le plancher, parmi les débris de vitre, gisait un gros galet. Guillaume s'assit sur son lit, saisit la pierre et fit de son mieux pour avoir l'air endormi.

Le père Turbide surgit, suivi de Bathilde.

— Qu'est-ce qui se passe !

Guillaume étouffa un cri. Une feuille de papier pliée en quatre était collée à l'aide de ruban adhésif sur une face du galet.

— Donne-moi ça ! ordonna le prêtre.

Dans son énervement, il ne songea même pas à justifier sa présence à une heure aussi tardive chez sa paroissienne.

Il dégagea le message et lut :

Je vous donne une première et une dernière avertisement. Ne vous occuper plus de cet histoire. Vous trouverer votre ami chez les Flaherty. La prochaine fois, je serais moins gentil.

— Encore Bourque! murmura Guillaume.

— Avec une pareille orthographe, il n'a pas eu besoin de signer, dit le père Turbide.

— Ce païen-là pourrait trouver un autre moyen de correspondre, grogna Bathilde en contemplant le dégât sur le plancher.

Plus pâle qu'un nuage, Guillaume enfilait son pantalon en vitesse.

— Qu'est-ce que tu fais? demanda Bathilde.

— Vous n'avez pas entendu? *Vous trouverez votre ami chez les Flaherty.* Il faut sortir Jean-Denis de là!

— La maison des Flaherty est condamnée, dit Bathilde. Personne n'y va depuis que Brigid a levé les pattes.

— Qu'est-ce que vous en savez?

— Voulez-vous me dire ce que Jean-Denis vient faire là-dedans? demanda le prêtre.

Bathilde le mit au courant de l'appel de Mme Painchaud. Le père Turbide convint qu'il fallait agir. Il suivit Guillaume qui dévalait l'escalier. Bathilde lui donna une lampe de poche.

— Attention aux fantômes ! ricana-
t-elle.

Guillaume et le curé étaient déjà partis. Il était plus de deux heures. En ce
lundi soir, les bars avaient fermé tôt. La
Grave était déserte. De gros nuages
masquaient la lune. Les deux hommes
marchèrent vent debout entre les îlots de
clarté des lampadaires. La maison des
Flaherty se dressa devant eux, gros cube
de noirceur coincé entre le magasin des
Hébert et une boutique d'artisanat.

C'était une bâtisse à deux étages, car-
rée, avec un toit percé d'une lucarne.
Depuis que la vieille Brigid Flaherty,
dernière du nom, avait été portée en terre,
sa demeure était l'objet d'une querelle de
succession entre des neveux dispersés aux
quatre coins de l'Amérique. Sans chauf-
fage, la cave pleine d'eau, la maison achevait de se délabrer. Les Flaherty étaient
des Irlandais mélancoliques et irascibles,
qu'une malédiction semblait poursuivre
depuis la famine de 1847. Naufrages,
noyades, faillites, brouilles, suicides, l'histoire de leur famille était une suite de
tragédies qui s'était terminée par le décès
d'une pauvre folle que les enfants pour-
suivaient dans le chemin.

Le père Turbide promena le faisceau de sa lampe de poche sur les bardeaux fendus par le gel. La porte principale était condamnée par deux madriers.

— Allons voir à l'arrière, suggéra Guillaume.

Ils firent le tour de la maison. Elle avait si mauvaise réputation que même les gamins en quête d'émotions fortes n'osaient en forcer l'entrée.

La porte arrière bâillait légèrement. Guillaume tira sur la poignée piquée de rouille. La porte s'ouvrit dans un grincement hollywoodien.

À l'intérieur, l'air était chargé d'une odeur de vomi et de moisissures. Des meubles bancaux, des bibelots hétéroclites, des toiles d'araignée achevèrent de peupler l'esprit de Guillaume des plus noirs pressentiments. Il revit la face de batracien de Wilfred Bourque. Cet agrès-là était peut-être assez fou pour assassiner Jean-Denis...

Le père Turbide ne semblait pas impressionné par l'atmosphère de la maison abandonnée. Son protégé dans son sillage, il fit le tour des pièces du rez-de-chaussée, méthodiquement, puis monta à l'étage.

Le sang de Guillaume se figea dans ses veines. Il entendait des coups sourds. Il saisit le bras du père Turbide. Les bruits provenaient du plafond.

Ils gravirent un autre escalier et firent irruption dans le grenier. Le crépitement caractéristique de rats qui détalaient les accueillit. Ficelé dans un coin, un mouchoir sur la bouche, Jean-Denis Painchaud marmonnait frénétiquement.

Guillaume lui arracha son bâillon. Le visage sillonné de larmes, son ami poussa un cri de terreur.

— AAAAAAAAAAAAH !

— C'est fini, c'est fini.

— Maudits rats ! Sortez-moi d'ici au plus sacrant !

Ce n'est que lorsqu'il retrouva l'air libre que Jean-Denis, les yeux encore exorbités, consentit à raconter son histoire.

Il avait été faire des commissions à Cap-aux-Meules avec Louis Bouffard. À Lavernière, des travaux routiers les avaient forcés à prendre le chemin des Amoureux, une petite route qui traversait les collines centrales de l'île de Cap-aux-Meules. Il avait alors aperçu l'auto louée de Wilfred Bourque, à demi cachée derrière un chalet.

À Cap-aux-Meules, il avait pris congé de Louis Bouffard, avait emprunté une bicyclette à un copain et était retourné au chalet.

L'auto était toujours là. Jean-Denis s'était caché dans le foin et avait attendu. Une heure plus tard, Wilfred Bourque était sorti, une serviette sous le bras. Il était parti en auto en direction de Lavernière. Jean-Denis avait longtemps observé le chalet. Le soir tombait. Aucune lumière, aucun signe de vie.

Il s'était approché et était entré par la porte arrière. Il fouillait dans la salle de séjour à la recherche de la croix lorsqu'un grand barbu l'avait surpris.

— Qu'est-ce qu'il t'a fait?

— Il m'a pris par le collet, m'a levé de terre et m'a demandé d'une grosse voix : « Qu'est-ce que tu fais icitte, le thon ? »

— Tu le connais?

— Ce n'est pas un homme des Îles. Il avait un accent québécois. Il clignait de l'œil gauche.

— Et après?

L'homme l'avait ficelé, bâillonné et enfermé dans un placard. Jean-Denis avait entendu le bruit de l'auto qui revenait puis une conversation étouffée entre Bourque et son complice. Plus tard, à la nuit tombée, ils lui avaient bandé les yeux, l'avaient chargé dans le coffre d'une voiture et l'avaient emmené dans ce grenier.

— Ces gens-là ne plaisantent pas, grogna le père Turbide. Il faut prévenir la police.

— Pas question! objecta Guillaume. Des plans pour ébruiter l'affaire!

L'argument eut raison du prêtre. S'il voulait récupérer la croix et l'héritage de l'abbé Donnegan, il avait lui aussi intérêt à tenir les policiers en dehors du coup.

— Maintenant, il faut trouver une histoire pour ta mère, dit Guillaume.

— J'ai eu tout le temps d'y penser. Je vais lui dire que je suis tombé amoureux d'une touriste. Ça va lui faire plaisir.

— Elle va gober ça?

— Elle sera trop contente de me voir pour me questionner. À demain. Mais compte pas sur moi pour aller aux moules.

Jean-Denis s'éloigna. Guillaume et le père Turbide marchèrent vers la maison de Bathilde, silencieux.

— Tu vas abandonner cette histoire de trésor, dit le prêtre. Ça devient dangereux.

— Je vous l'ai dit tantôt : pas question !

Le religieux poussa un soupir et hocha la tête. Il réfléchissait. Devant la porte de Bathilde, il s'arrêta et prit Guillaume par le bras.

— Si tu veux en savoir plus long, va voir Nathaël Cormier. Il doit connaître des choses sur Louis Boudreau et l'abbé Donnegan. Mais fais attention !

Le père Turbide souriait. Guillaume chercha les mots pour le remercier. Déjà le prêtre, ses cheveux brillant dans la nuit, s'éloignait vers la grève.

La maison de Bathilde était silencieuse. Guillaume monta à sa chambre. La vieille fille avait passé le balai et bouché la fenêtre avec un morceau de polythène. Guillaume se sentait vide et surexcité à la fois. Il lui semblait qu'une éternité s'était écoulée depuis le moment où il s'était endormi près d'Aude dans le port de Cap-aux-Meules.

La mer battait doucement sur les galets. Épuisé, il sombra dans un sommeil sans rêve.

21

PRÉSAGES

Il était plus de neuf heures et demie quand Guillaume s'éveilla. Après une seconde d'effarement, il réapprivoisa le paysage de sa chambre, l'étroit lit de fer forgé, le plafond de planches emboufetées, les murs fleuris, la fenêtre garnie de sa toile de polythène, le sac de hockey ouvert près de la commode.

Les événements de la veille affluèrent à sa mémoire. Il revit sa fuite de la maison paternelle et se sentit abattu. Comment allait son père ce matin-là ? Le trésor de Brion valait-il ces déchirements ? Le requin de John à Wilfrid, la crise d'angoisse de Pierre Brousseau, la dispute avec son père, la séquestration de Jean-Denis dans le grenier des Flaherty lui apparurent comme autant de mauvais présages.

Soumis aux caprices des éléments et des gouvernements, le pêcheur est un être superstitieux. Guillaume riait des croyances des vieux, mais il ne pouvait s'empêcher d'y croire. Siffler en mer attirait le vent, planter un couteau dans un mât entraînait la tempête. Pousser une embarcation à la mer par l'avant était malchanceux. Avait-il froissé le ciel en arrachant la croix du missionnaire irlandais à la protection du cap Gridley ?

Il se secoua et descendit au rez-de-chaussée. Bathilde avait laissé un mot sur la table : elle était partie à Cap-aux-Meules avec Phonsine.

Il fallait d'abord parler à Nathaël Cormier. Guillaume trouva son numéro dans le bottin. Il reconnut la belle voix grave de sa fille Docile, puis le râclement guttural du vieux constructeur de bateaux. Sans lui conter le fond de son aventure, ni surtout mentionner le nom du père Turbide, Guillaume lui demanda s'il pouvait le rencontrer pour le questionner au sujet de l'abbé Donnegan.

— Je crois pas pouvoir t'aider, mon jeune.

— Je suis sûr que oui, monsieur Cormier, plaida Guillaume.

Il y eut un silence. La main serrée sur le récepteur, Guillaume entendit soupirer Nathaël Cormier.

— Viens ce soir, à huit heures.

Guillaume savait qu'il était inutile de demander un rendez-vous plus hâtif. Il raccrocha et poussa un cri de joie.

Il déjeuna et partit vers le quai des plaisanciers. Le ciel était clair, le vent doux, le fond de l'air déjà chaud et humide. Les touristes qui sortaient du Café se félicitaient de la belle journée. Guillaume ne s'y trompait pas. Ces calmes plats, en plein été, étaient de mauvais augure. Le vent tournait. Le temps se gâterait en après-midi.

Aude lisait sur le pont du *Nirvana*. À l'arrière, embusqué derrière ses verres fumés, son père prenait son café en lisant le journal de la veille.

— Bonjour, monsieur Brousseau.

— Salut.

Guillaume alla s'accroupir près d'Aude. Son visage avait la couleur du ciel : une menace d'orage sous une apparence de beau temps.

— Qu'est-ce qui se passe ? demanda-t-il.

— Rien.

— Tu viens aux moules ?

— Avec plaisir.

Sans dire un mot à son père, Aude descendit dans la cabine. Le professeur, imperturbable, feignait de lire son journal. Guillaume chercha quelque chose à lui dire, mais ne trouva rien. Aude revint sur le pont, son sac sur la hanche et un pull en coton sous le bras. Elle enfila ses sandales et partit en direction du *Par là-bas*.

Guillaume restait planté sur le pont. Le père d'Aude souleva ses verres fumés, regarda sa fille s'éloigner et déclama en soupirant :

Souvent femme varie
Bien fol qui s'y fie

Les vers ne firent aucun effet sur Guillaume.

— Sais-tu qui a écrit ça ?

— Je suis nul en français.

— François Iᵉʳ.

— C'est un drôle de nom, Premier.

— Tu fais de l'esprit de bottine ? François Iᵉʳ, le roi de France.

— Aude n'a pas l'air de bonne humeur aujourd'hui.

— Nébulosités variables.

Pierre Brousseau exhiba son sourire de mage fatigué. Malgré sa belle assurance, il donnait une impression de malaise. Il congédia Guillaume d'un « Bonne chance ! » qui n'avait rien de rassurant.

Guillaume se rendit à son voilier. Aude avait déjà déposé ses effets dans la petite cabine. Assise sur la lisse de pavois, boudeuse, elle observait les cercles que produisaient ses pieds dans l'eau calme du havre.

Il sauta à bord.

— As-tu décidé de joindre le club des sans-abri ? demanda-t-il pour la dérider.

Elle leva vivement ses yeux gonflés de larmes.

— C'est pas le temps de faire des farces, Guillaume Cormier !

Il ne répondit pas. Il fixait un point dans la voilure du *Par-là bas*.

— Qu'est-ce que tu as ? demanda Aude. Tu trembles comme une feuille.

— Regarde.

Il tendit la main et déferla le haut de la grand-voile : elle était fendue sur une longueur d'un mètre. Dix centimètres au-dessus de la bôme, un couteau de chasse à la lame rouillée était fiché dans le mât.

— Notre ami Bourque est venu à bord la nuit dernière, constata Guillaume.

Sa voix était calme, mais il se sentait agité par un mélange de peur et de colère.

— Pourquoi a-t-il laissé son couteau dans le mât ? demanda Aude.

— C'est un signe de malchance et de mauvais temps. Ce gars-là connaît les légendes.

— Je commence à le trouver sérieux en diable.

— Plus sérieux que tu penses.

Guillaume raconta à Aude les événements de la nuit.

— Sa tactique est simple, conclut-il. Nous avons dix-sept ans. Il croit pouvoir nous faire peur. On va lui montrer !

La rage au cœur, Guillaume dégagea la grand-voile et la plia.

— Je vais la porter chez Jean. Ce soir, elle sera réparée. Tu viens ?

Ils se précipitèrent chez le voilier. Guillaume insista sur l'urgence de la réparation. Ils retournèrent au quai et décidèrent d'aller quand même aux moules.

Aude était morose, comme engourdie par le grondement du moteur. Ils passèrent la bouée et longèrent le quai de la

Maritime. Torse nu, John à Wilfrid sablait toujours son chalutier.

— Je te l'avais dit, le mousse! cria-t-il.

Guillaume le salua de la main. Il se tourna vers Aude.

— Si tu me disais ce qui se passe avec ton père?

— Je ne sais pas, commença-t-elle. Depuis l'histoire du requin, il me tape sur les nerfs.

— Pourquoi?

— Il fait semblant qu'il ne s'est rien passé. Il essaie d'être de bonne humeur, il fait des farces plates, il passe son temps avec des idiots qui n'ont rien à lui apprendre. Au fond, je sens qu'il s'agrippe à moi.

— Il est dans une mauvaise passe. Il va rebondir.

— Je n'ai pas la patience d'attendre. Je n'aurais pas dû partir en vacances avec lui. Il devrait se trouver une blonde, ce serait moins compliqué!

— Aude!

— C'est vrai! S'il avait une femme, je serais libre!

— Es-tu certaine?

Aude ne répondit pas. Elle regarda défiler les pierres sous la coque du bateau. Guillaume se garda d'aborder avec elle le chapitre délicat des blondes de son père. Quelques allusions acides lui avaient suffi pour mesurer l'accueil frigorifique qu'Aude avait réservé aux femelles qui avaient tenté de coloniser son territoire. Claudine, Christiane, Louise... elle égrenait leurs prénoms avec mépris et ne se gênait pas pour rire de leurs travers. Guillaume avait compris que le père d'Aude ne pourrait vivre avec une nouvelle femme avant que ses filles n'aient fait le deuil de leur famille.

Ils jetèrent l'ancre sous le cap Gridley. Guillaume plongea. Tout en cueillant mécaniquement les moules, il réfléchissait. Était-il différent d'Aude ? Lui aussi acceptait mal la séparation de ses parents. Ce qu'Aude et lui appelaient de l'amour n'était peut-être que de la solidarité.

Il acheva de remplir ses sacs de mollusques et remonta à la surface. Agrippé à la lisse, il invita Aude à le rejoindre.

— J'ai pas envie. L'eau est trop froide.

— Tu as peur ?

— C'est pas ça, nono !

Ils rentrèrent au port en silence. Guillaume commençait à se lasser des humeurs de sa belle. Il aurait aimé qu'elle s'occupe de lui au lieu de se complaire dans ses états d'âme. Après tout, lui aussi était en conflit avec son père. Ils avaient mieux à faire que de bouder pour des niaiseries : le trésor de Brion les attendait. Dans quelques jours, ils seraient riches.

Tout l'hiver, il avait cru qu'Aude et lui passeraient leurs vacances dans un état de bonheur perpétuel. Il devait se rendre à l'évidence : les vents qui poussaient leur amour ne différaient pas de ceux qui sévissaient dans le golfe. Il lui faudrait apprendre à déchiffrer les silences d'Aude de la même façon que les courants ou les nuages.

Ils accostèrent. Guillaume déposa les sacs de moules sur le quai.

— Tu viens avec moi ? demanda-t-il.

— Je vais aller à la plage pendant qu'il fait beau.

Ils se donnèrent rendez-vous au Café à la fin de l'après-midi.

Le cœur lourd, Guillaume fit ses livraisons et rentra chez Bathilde. Il prit une douche et erra dans la maison vide. Les rumeurs de la Grave, grondements d'autobus, échos de transistors, cris d'enfants, rigodons de restaurants, entraient par les fenêtres et troublaient la paix étrange qui suintait des vieux murs de la demeure des

Cyr. Guillaume se sentit déraciné plus que jamais.

Il descendit grignoter à la cuisine. On cogna timidement à la porte. Il alla ouvrir. Ses longs cheveux noués en une queue de cheval, les joues rouges, le souffle court, la blonde de son père était sur le perron.

— Je peux entrer ?

Son ton était teinté d'une amabilité prudente. Malgré le malaise qu'avait provoqué leur première rencontre, Guillaume fut heureux de l'inviter à entrer. Elle saisit un petit sac à dos et le suivit dans la cuisine.

— Je suis venue avec ta bicyclette. Le siège était un peu haut. Tu es seul ?

— Bathilde est à Cap-aux-Meules.

— Je t'ai apporté ta brosse à dents et quelques petites choses.

— Merci.

Maintenant qu'elle était entrée, Guillaume se sentait gauche et anxieux. Rosaline le troublait. Était-ce à cause de son âge, de sa grâce de belle fille saine, de sa relation avec son père ? Il avait toujours le goût de la séduire.

— Tu veux du thé ?

— Je prendrais un verre d'eau. C'est bizarre, ici. Une vraie maison de vieille fille.

Rosaline fit le tour du rez-de-chaussée et revint dans la cuisine. Guillaume avait pris place dans la chaise de Bathilde. La jeune femme choisit celle des visiteurs du soir.

— Comment va-t-il ? demanda Guillaume.

— Pas très bien. Il n'a pas prononcé dix mots dans la soirée d'hier. J'ai voulu m'en aller. Il m'a retenue.

Guillaume ne dit rien. Il se sentait à la fois coupable et ravi de faire souffrir son père.

— Aujourd'hui, il va mieux...

Le grondement d'un tracteur emplit la pièce. Guillaume et Rosaline regardèrent du côté du chemin. Fesse en l'air dans la remorque du gros Rosaire, la *Marie-Guillaume* se dirigeait vers le slip du quai des pêcheurs.

— Comme tu vois, il met son bateau à l'eau.

— Maintenant qu'il a de l'argent...

— Tu te trompes ! protesta vivement Rosaline. Ce matin, il est allé à la banque et a déposé l'argent de Bourque dans ton compte, jusqu'à la dernière piastre.

— C'est le moins qu'il pouvait faire. Maintenant qu'il a vendu la croix...

Rosaline soupira. Guillaume savait qu'il était injuste.

— Écoute, Guillaume. J'ai deux choses à te dire.

Elle lui prit la main. Elle avait de petites mains douces, aux ongles effilés, comme les fées des films de Disney.

— La première, c'est que tu as eu raison de partir. André n'a pas voulu mal faire en vendant la croix, mais il était temps que quelqu'un le secoue un peu. Il va arrêter de boire et de se morfondre dans son chagrin d'amour.

— Tant mieux pour lui.

— La deuxième, c'est que tu dois arrêter de le rendre coupable du départ de ta mère. Il a besoin de toi. Je m'en vais dans trois semaines. Ton père et moi, ce n'est pas sérieux. Je ne suis qu'une...

— Parenthèse. Je suis au courant...

Rosaline ne lâchait ni sa main ni le fil de son idée.

— Je suis de passage dans vos vies. Tu dois retourner chez toi. Attends quelques jours si tu veux. Fais le ménage dans ta tête. Ce n'est pas en boudant ton père que tu feras revenir Élise.

Guillaume retira sa main et baissa la tête. Il sentit une lame de colère le soulever. De quoi se mêlait cette fille ? Il prit une grande inspiration et se contrôla. Au fond, elle avait raison.

Rosaline s'était levée. Elle semblait contente de sa visite.

— Ne fais pas cette tête-là. Dans une semaine, tu seras revenu chez toi et tu seras riche.

Guillaume sourit faiblement.

— Tu crois à mon histoire de trésor ?

— Depuis le début. Et je vais te dire une autre chose : à l'automne, ta mère sera chez vous. Si André est assez intelligent pour laisser la porte ouverte...

22

NATHAËL

Rosaline partit à pied vers le quai. Le cœur plus léger, Guillaume regarda s'éloigner la queue de cheval blonde qui tressaillait à chaque pas.

Il prit une douche en sifflant *I buried my wife and danced on her grave*, grand succès de Jules le violoneux, et se brossa les dents. Il enfourcha sa bicyclette et pédala jusqu'à la Caisse populaire où il retira de son compte, sous le regard inquisiteur de la cousine de sa mère, vingt billets flambant neufs de vingt dollars. À l'épicerie, il remplit un plein panier de provisions et demanda qu'on les livre au quai. La cabine astiquée, rangée avec soin, les vivres, l'essence et le matériel de plongée arrimés dans le compartiment avant, il ne lui resta plus qu'à vérifier son gouvernail, son gréement et à embarquer discrètement deux petites pelles afin que le *Par là-bas* soit prêt pour la chasse au trésor.

Jean-Denis Painchaud survint sur les entrefaites. Les mains dans les poches, l'air boudeur, il arborait la mine d'un survivant de guerre nucléaire.

— Tu traverses l'Atlantique en solitaire ?

— Je m'en vais à l'île Brion. Tu m'accompagnes ?

— Es-tu fou ?

— Si tu veux venir, sois sur le quai demain à sept heures et demie.

— Compte pas là-dessus. Tu as l'air de bonne humeur.

— Pourquoi pas ?

— Tu t'es réconcilié avec ton père ?

— Non.

— Il met son bateau à l'eau.

— Tant mieux pour lui.

Guillaume remonta sur le quai. Il regarda le ciel. Ses soupçons se confirmaient. Un petit vent d'est se levait, enveloppant l'archipel de son haleine humide. Derrière l'île d'Entrée, des nuages sombres se profilaient.

— On va avoir de la pluie, observa Guillaume. Sais-tu ce qu'on devrait faire ?

Aller visiter le chalet de Bourque à Lavernière.

— Es-tu fou ?

— Ne t'inquiète pas. Il a dû décamper
la nuit dernière.

— Vas-y tout seul, si tu veux.

— Peureux, Painchaud !

— On n'a pas d'auto.

Guillaume tapota sa poche de derrière.

— J'ai du bacon.

Ils allèrent au bar laitier, se commandèrent chacun un *banana split royal*
et appelèrent Damien Chevrier. Ils eurent
à peine le temps d'entamer leur assiette
que l'unique chauffeur de taxi de Havre-
Aubert, un motard réchappé des années
soixante, faisait crisser les pneus de sa
Chevrolet bleu poudre dans le stationnement.

Imperturbable derrière ses lunettes à la
John Lennon, il conduisit Guillaume et
Jean-Denis à Lavernière. Dans le chemin
des Amoureux, ils trouvèrent le repaire de
Bourque. Il semblait abandonné. Ils se
renseignèrent auprès des voisins, puis du
propriétaire : le locataire du chalet l'avait
appelé la veille pour lui annoncer son
départ.

— Comment s'appelait-il ?

— Roger Boudreau.

— Boudreau ? Il était madelinot ?

— Pour moi, c'était un descendant. Il parlait comme un gars de la ville. Il m'a dit qu'il devait retourner à Montréal pour travailler. Il m'avait déjà payé, en bel argent américain. Je n'ai pas posé de question. C'est quand même bizarre : il était arrivé samedi.

Guillaume et Jean-Denis notèrent l'adresse du complice de Bourque à Verdun, puis retournèrent à Havre-Aubert. Quelques gouttes de pluie vinrent s'écraser sur le pare-brise de la Chevrolet. Guillaume était songeur. Wilfred Bourque le devançait toujours d'un pas sur la piste du secret de l'abbé Donnegan. Il regarda sa montre : seize heures trente. Que faisait Bourque ce jour-là ? Avait-il déjà traversé à l'île Brion ? Les heures qui le séparaient de sa visite à Nathaël Cormier lui paraissaient de plus en plus interminables.

Une lourde averse noya les Demoiselles. Ils retrouvèrent Aude au Café. La pluie avait transformé l'établissement en un refuge pour touristes transis. Au milieu du brouhaha, Aude, frissonnante, les cheveux gommés de sel et de sable, fumait devant son éternel bol de café.

Guillaume lui conta leur visite à La-vernière. Elle ne disait rien, absente. Jean-Denis, les papilles émoustillées, partit fureter dans la cuisine.

— Tu crois que je pourrais prendre une douche chez Bathilde ? demanda Aude à brûle-pourpoint.

— Pas de problème.

— On sort. Je ne peux plus supporter ce Café.

Elle tira un sac à dos plutôt volumi-neux de sous la table.

— Ton bagage est déjà prêt ! s'étonna Guillaume.

— J'ai dit à papa que j'allais vivre chez toi pendant quelques jours.

Guillaume était estomaqué.

— Il n'a rien dit ?

— Il n'était pas content, mais il n'a pas protesté. Ce n'est pas pire que quand je vais passer quelques jours chez ma mère.

Elle esquissa un sourire. Il eut envie de l'embrasser, tout de suite, devant tout le monde. Elle se levait déjà, prête à sortir.

La pluie avait cessé. Bathilde était re-venue de Cap-aux-Meules. Guillaume fit les présentations. La vieille fille jaugea Aude d'un coup d'œil et sembla satisfaite du choix de son protégé. Elle la conduisit à l'étage et lui donna des serviettes.

— Fais-toi belle, dit Guillaume. Ce soir, nous allons au restaurant.

Vingt minutes plus tard, Aude, redevenue une jeune beauté de la Haute-Ville, trouva Guillaume en train de remplir son sac à dos dans sa chambre.

— Qu'est-ce que tu fais ?

— Ce soir, je couche dans mon voilier. Pas question de le laisser sans surveillance.

— Tu vas geler.

— Bathilde va me passer un sac de couchage et des couvertures.

— Elle ne te pose pas de questions ? Je veux dire, elle ne te conseille pas de retourner chez ton père ?

— Bathilde ne pose jamais de questions.

— Tu m'emmènes vraiment au restaurant ? Ma fortune s'élève à onze dollars et vingt-cinq sous.

— J'ai du bacon.

Ils saluèrent Bathilde et partirent, leur maigre bagage sur l'épaule, comme deux enfants allant coucher chez des copains.

Le ciel demeurait couvert. Le vent d'est poussait des vagues grises sur les galets de la grève. Ils récupérèrent la grand-voile chez le voilier : la réparation était parfaite. Ils portèrent leurs sacs dans le *Par là-bas*. Aude jeta un regard vers le bateau de son père. Le pont était désert, les écoutilles et les hublots fermés comme dans l'attente d'une tempête.

— Tu devrais aller lui dire un mot, dit Guillaume.

— Non.

Le ton était sans appel. Silencieux, ils marchèrent jusqu'à un restaurant où on les accueillit avec une discrétion attendrie. Le vin et la nouveauté de ce tête-à-tête d'amoureux dissipèrent bientôt leur tristesse. Guillaume se sentait soulevé par une lame d'optimisme. Aude, radieuse, retrouvait son rire des vacances. La patronne vint féliciter son pêcheur de moules de son acte de bravoure de l'avant-veille et leur offrit le dessert.

Flatté, Guillaume regardait sa montre. Sept heures et demie. Le moment approchait. Il paya, laissa un généreux pourboire et sortit dans le soir venteux, Aude titubant à son bras.

Nathaël Cormier habitait une maison mansardée du côté du havre. Il l'avait bâtie de ses mains aux premiers temps de son mariage. Dix ans plus tard, il l'avait flanquée d'un hangar dans lequel il avait construit des bateaux.

Le soir, son gros index d'ouvrier suivant les lignes, il se plongeait dans les registres et les livres d'histoire. Au fil des ans, il était devenu la mémoire du village. Il connaissait toutes les familles et pouvait remonter la généalogie de chacun jusqu'aux premiers pionniers.

Il s'était pourtant opposé au projet de musée mis de l'avant par le père Turbide. Malgré son charme et son pouvoir, le curé avait dû se débrouiller seul pour constituer des archives et recueillir des pièces de collection. Nathaël Cormier était contre les musées. Il prétendait que, loin d'assurer la survie d'une culture, ils en garantissaient la disparition. La culture des Îles était vivante. Si on l'enfermait derrière des vitrines pour la montrer aux touristes, elle mourrait aussi sûrement qu'un istorlet en cage. Les autres pouvaient penser et faire ce qu'ils voulaient. Lui, Nathaël Cormier, ne se prosternerait pas devant un curé débarqué de Havre-aux-Maisons, qui maquillait son accent en parlant à la grandeur! S'il voulait savoir comment vivaient les gens de l'en premier, qu'il se débrouille ! De toute façon, il recevait suffisamment de subventions !

Ainsi parlait Nathaël Cormier. Guillaume et Aude, assaillis par les premières gouttes d'une averse, frappèrent à sa porte. Docile Cormier vint leur ouvrir. C'était une belle femme dans la quarantaine, le nez fort, les cheveux noués en une lourde tresse.

— Entrez. Papa vous attend.

Un vieillard géant, à demi chauve, tout en muscles et en articulations, jouait aux cartes avec un enfant sur la table de la cuisine. Nathaël Cormier déplia sa charpente et posa sur les arrivants un regard à la fois sévère et amusé.

Guillaume fit les présentations. Docile offrit du café et congédia son fils, qui s'éloigna en maugréant, les oreilles à pic.

— Qui vous a dit de venir me voir ? demanda Nathaël. Le père Turbide ?

— Pas vraiment, mentit Guillaume. Bathilde nous a suggéré de nous adresser à vous pour nous avancer dans nos... recherches.

— Contez-moi votre histoire.

— Vous allez garder ça pour vous ?

Le vieillard sourit.

— Le père Turbide pourra vous dire que j'ai pas l'habitude de trahir les secrets.

Guillaume scruta le visage de son hôte. Il n'avait plus d'autre choix que de lui faire confiance. Bourque disparu avec tous les indices, il fallait prendre des risques.

Il fit le récit de ses aventures depuis la découverte de la croix d'argent. Une pluie violente crépita sur les fenêtres. Les mains croisés sur la table, Nathaël Cormier écoutait attentivement. Quand Guillaume eut fini, il se leva et alla se verser une tasse de café.

— Qu'est-ce que vous en pensez ? finit par demander Guillaume.

— Je veux d'abord savoir ce que toi, tu en penses, dit Nathaël.

— Je crois qu'il y a un trésor sur l'île Brion.

— Vraiment ?

Une lueur moqueuse dansait dans les yeux du charpentier.

— J'en suis certain, prononça Guillaume en soutenant son regard.

Sans dire un mot, Nathaël Cormier disparut par l'escalier en coin qui menait à l'étage. Aude, pompette, échappa un gloussement. Guillaume lui donna un coup de pied sur le tibia. Un long silence suivit, troublé par les sifflements du vent dans les corniches. Intrigué, Guillaume regarda Docile.

Elle lui fit un clin d'œil.

23

LE CALICE DE BEAUBASSIN

Docile Cormier avait eu raison de rassurer Guillaume. Son père descendit une minute plus tard avec deux reliures à anneaux et un cahier enveloppé dans un sac en plastique. Il reprit sa place, ouvrit l'une des reliures identifiée « Boudreau », et prit la parole avec une solennité d'échevin.

— La croix de l'abbé Donnegan t'a mis sur la piste d'un secret que je croyais être seul à détenir. J'en avais parlé à Docile, au cas où je partirais sans prévenir. L'arrivée de ton M. Bourque a brouillé les cartes. On ne sait jamais. Il pourrait trouver le trésor d'Henry Ratcliffe.

— Il y a donc vraiment un trésor ? demanda Guillaume.

— C'est possible. Mais ce n'est pas le genre de trésor auquel tu t'attends.

Guillaume demeura interdit.

— Qu'est-ce que vous voulez dire ?

— Sur l'île Brion, tu ne trouveras pas un coffre plein d'or et de bijoux.

— Ce n'est pas grave, mentit Guillaume. Qu'est-ce que je trouverai ?

Nathaël sourit.

— Tu es vite en affaires. Tu trouveras peut-être un vieux calice.

— Un calice ?

— Le calice de Beaubassin.

— Beaubassin ?

— C'était un village d'Acadie. Nos ancêtres viennent de là-bas. Laisse-moi t'expliquer.

Nathaël sortit une carte.

— Nous sommes en 1750. Depuis le traité d'Utrecht de 1713, l'Acadie appartient à l'Angleterre. La France a conservé l'île Royale et l'île Saint-Jean, c'est-à-dire l'Île-du-Cap-Breton et l'Île-du-Prince-Édouard. Les Acadiens sont considérés comme des *Français neutres*. Ils refusent de prêter le serment d'allégeance à l'Angleterre, mais ils se sont engagés à rester neutres si un conflit éclate avec la France.

« Leur situation est précaire. Les Anglais les considèrent comme une menace éventuelle, et les Français tentent de les soulever contre leur ennemi. Les gouverneurs de la Nouvelle-Écosse essaient à plusieurs reprises de faire prêter le serment d'allégeance aux Acadiens, sans succès.

« En 1749, les Anglais fondent Halifax. Leur intention est désormais claire : ils veulent coloniser l'Acadie. S'ils ne peuvent s'assurer de la loyauté des *Français neutres*, il ne restera plus qu'à les déporter.

« Le gouverneur de la Nouvelle-France, le marquis de la Jonquière, fait bâtir le fort Beauséjour près de la frontière acadienne, à quelques kilomètres de Beaubassin. Par l'intermédiaire des Micmacs et du missionnaire LeLoutre, il entretient l'agitation chez les Anglais. Les Acadiens sont coincés entre deux forces qui vont les écraser.

« En mai 1750, sur l'ordre du marquis de la Jonquière, les Micmacs de l'abbé LeLoutre mettent le feu à Beaubassin. L'église et les maisons sont rasées. »

— Je croyais que les Micmacs étaient les alliés des Acadiens ? s'étonna Guillaume.

— Bien sûr. Mais le but des Français était d'attirer les Acadiens de leur côté de la frontière. Ils ont réussi. Privés de leurs maisons par les Français, privés de leurs armes et de leurs embarcations par les Anglais, les gens de Beaubassin se sont réfugiés au fort Beauséjour. C'est à ce moment-là qu'intervient ton ancêtre François Cormier.

— Mon ancêtre ?

— Ton père ne t'en a jamais parlé ? Tu es Guillaume à André à Pierre à Joseph à Honoré à Pierre-Guillaume à Simon à Dominique à Jean à François à Pierre à Thomas à Robert Cormier.

Sans effort, Nathaël égrenait le chapelet des ancêtres. Guillaume le regardait, les yeux comme des piastres.

— Biscuit ! Ça fait du monde ! J'étais bloqué à Honoré. Voulez-vous recommencer ?

Nathaël s'exécuta.

— Tu es le treizième, annonça Aude qui avait compté sur ses doigts. Est-ce que c'est un mauvais présage ?

Elle semblait à la fois amusée et impressionnée, comme chez une cartomancienne.

— Dans l'en premier, les Acadiens connaissaient leurs ascendances par cœur, reprit Nathaël.

— Vous parliez de François Cormier ?

demanda Guillaume qui ne voulait pas que le charpentier perde le fil de son récit.

— C'est ici que nous entrons dans la légende, dit Nathaël.

Il sortit le cahier de son sac en plastique. C'était un vieux manuscrit écorné, traversé d'une écriture enfantine.

— Qu'est-ce que c'est ?

— Le journal de Geneviève Boudreau. Elle était la fille de Louis Boudreau, l'Ancien qui s'occupait de la chapelle et hébergeait l'abbé Donnegan.

— Vous possédez un journal écrit de sa main ? s'étonna Guillaume.

— Ma grand-mère me l'a légué. Geneviève Boudreau est mon ancêtre directe. La tienne aussi, si je ne me trompe pas.

— C'est un vrai trésor ! Vous ne l'avez jamais montré au père Turbide ?

— Pour qu'il le mette au musée ? *Never !*

Ce fut au tour d'Aude de donner un coup de pied à Guillaume.

— Continuez, monsieur Cormier.

— Comme beaucoup de monde à l'époque, Geneviève Boudreau ne savait ni lire ni écrire. Son fils Charles-Nazaire s'est fait prêtre. Quand il est devenu curé de Havre-Aubert, il a appris à lire à sa mère. Elle avait plus de soixante ans. Sur ses vieux jours, elle s'est mise à tenir un journal. Elle notait des petits faits quotidiens, des histoires de famille. En date du 12 mars 1856, j'ai trouvé ceci :

J'ai passé la journée auprès de ma mère. Elle fête ses quatre-vingt-dix ans aujourd'hui. Elle a une mauvaise toux. Elle se demande si elle se rendra au printemps. Elle m'a parlé de mon père et d'une histoire qui remonte aux temps du Dérangement. Quand elle était fille, le Vieux Jean Cormier a ramené à la Magdeleine un calice que son père avait caché en Acadie, du temps des Français. Mon père en avait la garde, de même que des registres du missionnaire.

Un an avant l'arrivée des gens de Miquelon, un capitaine américain les a volés. Il avait pourtant l'abbé Donnegan en amitié et passait des soirées avec lui à la maison. Ma mère dit qu'il a laissé un trésor à l'île Brion. C'est une vieille histoire. Les anciens en parlaient quand j'étais petite. Elle m'a donné un message que Papa lui avait laissé. Je l'écris ici sans en comprendre un mot :

So when midnight lights the bonfires
to The south will stand the bowman
the Head Of the Roman
will Clear the Name of the Tree
the Meadow Rider will End in
    the Tombs
and the sovereign of the Sea will
    stare at the stars

J'ai demandé à ma mère pourquoi elle n'avait jamais parlé de cette légende. Elle a détourné la tête et m'a dit que ce capitaine vivait dans le péché et que le calice était bien là où il était.

Nathaël Cormier se tut. Guillaume, Aude et Docile étaient suspendus à ses lèvres.

— Et après ? demanda Guillaume.

— C'est tout.

— Ça ne nous dit pas grand-chose, fit Aude.

Guillaume demanda à voir le cahier et relut l'étrange message.

— Tu te trompes. Ça doit être le poème qui se trouvait dans le livre de Shakespeare de l'abbé Donnegan. Maintenant, nous en savons autant que Wilfred Bourque.

— Tu as peut-être raison, dit Nathaël. Geneviève Boudreau n'est jamais revenue sur le sujet. Je n'ai pas trouvé d'autres indices. À mon idée, les choses se sont passées de cette façon. François Cormier avait trente et un ans en 1750. Quand l'église de Beaubassin a brûlé, il a sauvé le calice et l'a caché en lieu sûr. Il pensait sans doute le récupérer quelques semaines plus tard. Malheureusement, les Anglais ont occupé Beaubassin à l'automne de la même année. François Cormier et sa famille ont fui à l'île Saint-Jean entre 1752 et 1755. C'est son fils Jean, celui que les gens d'ici appellent le Vieux Jean, qui a dû aller chercher le calice, après la paix, vers 1770, pour le ramener à Havre-Aubert.

— Vous connaissiez Henry Ratcliffe ?

— C'est un personnage connu de l'histoire de la Nouvelle-Angleterre. Certains vieux se souviennent même de son nom.

— Vous croyez que le calice est toujours sur l'île Brion ?

— Impossible de le savoir. Le *Sagittarius*, le bateau de Ratcliffe, a disparu à l'automne 1793. Les pirates n'avaient pas coutume de traîner leurs trésors en mer. Tu n'as rien à perdre à le chercher.

— Vous permettez que je transcrive le journal?

Guillaume recopia soigneusement le passage qu'avait lu le charpentier. Docile offrit une nouvelle fois du café et des biscuits. La pluie ruisselait toujours sur les vitres, tamisant l'éclat des lampadaires de la marina.

Guillaume rendit le cahier à Nathaël.

— J'ai une question, monsieur Cormier. Pourquoi me donnez-vous tous ces renseignements?

— Tu me les as demandés.

— Le père Turbide aussi.

— Toi, c'est différent. Tu crois qu'il y a un trésor. Lui pensait que ce n'était qu'une légende.

Guillaume et Aude s'étaient levés et se dirigeaient vers le tambour.

— Une dernière question, dit Guillaume en se retournant. Pourquoi n'avez-vous pas récupéré le calice? Vous aviez tous les indices en main.

Nathaël et Docile Cormier échangèrent un sourire.

— J'ai bien essayé, mon gars. Je suis allé à l'île Brion chaque automne, pendant dix ans. J'ai fouillé partout, j'ai cherché à déchiffrer le poème en anglais. Je n'ai pas réussi.

Guillaume et Aude sortirent dans la nuit. Il pleuvait toujours. Docile Cormier leur offrit de les reconduire en jeep. Aude refusa. Elle agrippa le bras de Guillaume, se nicha contre lui et l'entraîna vers le chemin de la Grave.

La pluie était chaude. Les vagues grondaient toujours sur la grève, mais le vent avait faibli.

— Qu'est-ce que tu en dis, mademoiselle Brousseau ? demanda Guillaume.

— Tu avais raison, tête de pioche. Il y a un trésor sur l'île Brion.

— Et il nous attend depuis deux cents ans.

Ils passèrent devant le Café.

— On entre un instant ? demanda Guillaume.

— Je n'ai pas envie de voir mon père. Ce soir, je dors avec toi.

— Dans le bateau ?

— Pourquoi pas ?

— On va être tassés.

— Tant mieux.

— Aussi bien aller se coucher tout de suite. Demain, on appareille !

— Tu ne trouves pas qu'il vente un peu trop, patron ?

— Ça ne tiendra pas. On n'a plus de temps à perdre.

À la lueur d'une lampe de poche, ils se firent un nid dans la cabine. Le *Par là-bas* tangua bizarrement au bout de ses amarres puis son balancement se joignit à celui, paisible, des voiliers qui sommeillaient dans le havre.

24

TERRE !

Vers sept heures, Guillaume passa sa tête ébouriffée par l'écoutille. Le matin avait la mine chafouine. Le ciel était bas. Un vent d'est hargneux hérissait le havre. Sans réveiller Aude, il s'habilla et marcha jusqu'à la boulangerie. Un croissant chaud à la main, il composa le numéro de la station météorologique de la garde côtière. Il retourna vers le voilier en méditant sur les prévisions : « Pour aujourd'hui mercredi 21 juillet, vents de l'est de 15 à 25 nœuds, augmentant à nord-est de 25 à 35 nœuds cette nuit, puis à sud de 30 à 40 nœuds demain. Pluie et brume se dissipant demain soir. Aperçu pour vendredi : vents forts de l'ouest. »

Cet avant-goût de l'automne, en plein juillet, n'avait rien de réjouissant.

Soucieux, Guillaume se mit à fourrager sur le pont. Aude émergea de la cabine.

— Qu'est-ce que tu fais ?

— Habille-toi. On lève l'ancre.

À demi réveillée, Aude promena un regard maussade sur le havre et les nuages qui bouchaient l'horizon.

— As-tu vu le temps ? Attendons à demain.

— Pas question. Si on veut traverser à Brion, c'est notre chance. Sinon, on est pris ici pour trois jours.

— Regarde qui s'amène.

Le suroît de son défunt grand-père sur les yeux, la vareuse tendue par deux tricots, Jean-Denis Painchaud, un énorme sac à dos à l'épaule, faisait rouler la passerelle d'un pas décidé.

— Avez-vous toujours de la place ?

— Il te manque juste un tatouage, puis un bandeau sur l'œil !

— Je veux ma part du butin. On sait jamais : c'est peut-être vrai ton histoire de trésor.

— Embarque. Ça va nous faire du lest.

Aude regardait le sac à dos d'un air soupçonneux.

— Qu'est-ce que tu as là-dedans ?

— Une tente, un sac de couchage et quelques... provisions.

— Qu'est-ce que tu as dit à ta mère ? demanda Guillaume.

— Camping à l'île d'Entrée.

— Bonne idée. Allez ! On part avant de se faire remarquer.

Pendant que Jean-Denis cherchait à nicher son bagage dans la cabine, Guillaume détacha les cargues de la grand-voile et démarra le moteur. Le *Par là-bas* quitta le quai et glissa sur les eaux inquiètes du havre. Sa coque se confondant avec le gris du ciel, le *Nirvana* ne laissait filtrer aucun signe de vie. Guillaume chercha des traces d'émotion sur le visage d'Aude. Elle jeta un œil froid sur le bateau de son père, frissonna sous l'haleine du matin et retourna dans la cabine.

Son calme abandonna Guillaume à des pensées désagréables. Les femmes étaient cruelles et impassibles, comme la mer. Il songea à sa mère qui avait dégolfé un matin d'avril, sans pleurs ni déchirements, avec la majesté d'un glacier. La beauté des femmes n'était que l'envers de leur dureté.

Il secoua la tête et s'engagea dans le chenal. En quittant son père, Élise avait jeté une ombre entre Aude et lui.

Dans le havre des pêcheurs, la *Marie-Guillaume* tirait doucement sur ses amarres. Le quai était presque désert. La pêche au homard était terminée. Seuls quelques bateaux sortaient encore pour le maquereau. La vision du quai trop tranquille, les vagues grises que le vent d'est jetait sous son étrave, le souvenir de sa mère plongèrent Guillaume dans une mélancolie que la perspective du trésor de Brion ne parvenait pas à dissiper.

— Ciboulette de cadenas !

Précédé d'un bruit sourd, le juron avait jailli de la cabine. Jean-Denis avait dû se cogner la tête contre un travers. Une agitation suspecte, des rires étouffés s'échappaient de l'habitacle.

— Qu'est-ce que vous faites là-dedans ? Attention ! Je sort les voiles.

Aude sortit, moulée dans son chandail breton. Elle s'approcha de Guillaume et déposa un baiser sur ses lèvres. Elle promena son regard sur la baie. À l'arrière, le cap Gridley, auréolé de goélands et de sternes, dressait sa masse sombre. À tribord, le Bout du Banc s'élançait vers l'île d'Entrée. À bâbord, la cloche de la bouée qui signalait l'entrée du port bégayait dans la houle.

— Paré à virer, patron ?

— Qu'est-ce que vous mijotez en dedans ? Tu sens le naphta.

Sans répondre, Aude hissa la grand-voile. Guillaume tira la barre à lui et éteignit le moteur. Le *Par là-bas* courut sur son erre puis s'inclina doucement sur le flanc tandis que le vent gonflait le triangle de toile. Aude vint s'asseoir à côté de Guillaume. Il mit le cap sur le phare de Pointe-Basse.

— Pourquoi tu l'as appelé *Par là-bas* ?

— C'était une expression de maman. Quand on allait faire un tour d'auto, elle disait « Par là-bas ! ». C'était une façon de tout oublier, de profiter du moment présent. Elle rêvait toujours de partir.

— Elle a réalisé son rêve.

— C'est une façon de voir ça.

Un bonnet de cuisine camouflant une bosse naissante, Jean-Denis émergea de la cabine. Il tendit deux tasses de café fumant à ses équipiers.

— Tenez, les amoureux ! Une chance que vous m'avez à bord ! Vous aviez même pas pensé à emporter un réchaud !

ÎLE BRION

Golfe du St-Laurent

N E S O

Seal Rock

Cap aux Côtes de Baleine

Côte des Mouettes

La Saddle

Cap aux Tombes

Les Meadows

Cap Butte du Brion-la-Belle

Butte de l'Homme Mort

Côte de Brion-la-Belle

La Grande Anse

Anthony's Nose

Cap Clair

L'Arbre à Spina

Le Sand-Bar

La Grosse Head

Ruisseau du Sand-Bar

Falaise

Plage des Silloirs

Île Brion

Îles-de-la-Madeleine

Les heures passèrent. Le *Par là-bas* taillait vaillamment son sillage dans la houle de la baie. Devant Cap-aux-Meules, une averse renvoya Aude et Jean-Denis dans la cabine. Guillaume craignit une risée, mais le vent demeura stable. Il resta à la barre, engoncé dans son ciré, les gouttes chaudes le mordillant sous son suroît. La pluie cessa, un rayon de soleil perça, vite englouti par les nuages.

Près du rocher de la Shag, Aude prit son quart à la barre. Il fallut changer de cap, tirer un bord sud-est de façon à doubler sans peine la Grande Entrée. Jean-Denis camouflait sa peur du large sous une bonhomie agaçante et mangeait toutes les demi-heures pour conjurer le mal de mer. Malgré le temps menaçant, la journée était agréable et ressemblait presque aux sorties tranquilles de l'été précédent sur le *Nirvana*.

Ce n'est qu'à dix-sept heures, à l'approche de la pointe de l'Est, que les trois chercheurs de trésor, soudainement graves, évoquèrent le but de leur voyage. Jean-Denis fit chauffer un infect ragoût en conserve, Guillaume sortit une carte neuve de Brion et la tendit à Aude tout en regardant la ligne de dunes qui courait de la Grande Échouerie à l'extrémité orientale de l'archipel.

Aude examina la carte et demanda à Guillaume quel était son plan.

— On va ancrer le bateau dans l'anse sud de la Saddle. Avec le vent qui tourne, on devrait être à l'abri.

— Et après ? marmonna Jean-Denis.

— On campe là-bas pour la nuit.

— Si Bourque est sur l'île, il va repérer le voilier.

— Pas nécessairement. De toute façon, on n'a pas le choix. Il faut bien accoster quelque part.

— Et ensuite, patron ? demanda Aude, goguenarde.

— À minuit, on se rend à l'emplacement du trésor et on creuse. Il ne faut pas dire un mot, sinon le trésor disparaît. Il faut conserver son sang-froid et se méfier du gardien.

— Le gardien ? s'inquiéta Jean-Denis.

— Le gardien.

— Arrête de niaiser.

— Les pirates ne laissaient pas leur butin sans surveillance. Ils tiraient à la courte paille et désignaient l'un des leurs pour le garder.

— J'imagine qu'il fume encore sa pipe, assis sur le coffre, deux cents ans plus tard ?

— Pas de danger. On lui coupait la tête et on l'enterrait avec le trésor.

Jean-Denis avala de travers. Aude éclata de rire.

— Tu as l'air bien sûr de toi. Tu ne nous as pas dit où se trouvait la cachette...

Guillaume sourit et récita :

So when midnight lights the bonfires
to The south will stand the bowman
the Head Of the Roman
will Clear the Name of the Tree
the Meadow Rider will End in the Tombs
and the sovereign of the Sea will stare
*   at the stars*

— On pourrait traduire, suggéra Jean-Denis. Ça nous donnerait une meilleure idée.

Il prit un crayon et écrivit :

Ainsi quand minuit fait se lever
        les bûchers
Au sud se tiendra l'homme de proue
La Tête du Romain
Éclaircira le nom de l'arbre

277

Le Cavalier de la prairie finira dans
les Tombes
Et le souverain des mers regardera
les étoiles

Jean-Denis se leva et, se retenant à un
hauban, récita le cryptogramme sur un
ton dramatique.

— Moi, je traduirais « bowman » par
« archer », suggéra Aude.

— Tu as peut-être raison, concéda
Jean-Denis. Il reste que c'est une moyenne
bouillie.

Il se tourna vers Guillaume qui fouillait l'horizon.

— J'imagine que tu as déchiffré le
message ?

— Pas du tout.

L'aveu de Guillaume tomba comme
une volée de grêle sur ses équipiers.

— On va trouver. Ça doit pas être
sorcier. Regardez !

Le *Par là-bas* peinait dans les courants
qui s'affrontaient autour du cap de l'Est.
Droit devant, une tache sombre gonflait la
surface des eaux.

— Brion ! Dans deux heures, on y
sera ! On aura toute la soirée pour trouver
le secret de Henry Ratcliffe !

Guillaume rayonnait. Aude regarda l'île au loin. Sous le ciel gris, par cette fin d'après-midi venteuse, Brion n'avait rien du paradis bucolique que lui avait décrit son ami. Elle réprima un frisson et regretta pour la première fois de s'être embarquée dans l'aventure.

25

BRION

À la fois proche et lointaine, Brion
envahit l'horizon. Derrière une frange
d'herbe jaune, des épinettes brûlées par le
vent se cramponnaient à l'arête des
falaises. Guillaume laissa à tribord un
rocher entouré de récifs et manœuvra vers
la côte sud de l'île. Tout près du bateau,
un cri rauque faillit jeter Jean-Denis à la
mer. Un crâne luisant surgit entre les
vagues, deux yeux curieux brillèrent au-
dessus de longues vibrisses : un phoque
souhaitait la bienvenue au *Par là-bas*.

— Le Seal Rock, dit simplement
Guillaume.

Le phoque plongea et réapparut dix
mètres plus loin, entouré d'une escouade
de congénères dont les voix se mêlèrent

aux soupirs sinistres des brisants sur les rochers.

Aude fixait la pointe est de l'île, troublée. Guillaume suivit son regard.

— Les vieux racontent que du haut de ce cap, les soirs de tempête, on entend des bruits de chaînes et des lamentations. Ils disent que c'est l'équipage d'un bateau irlandais qui priait et chantait le *Salve Regina* avant de faire côte. Au fond, ça doit venir des cris des phoques.

Le soleil déclinant perça les nuages et projeta des reflets mordorés sur les falaises de grès rouge.

— Regardez !

Aude se leva, hypnotisée. Ameutés par leurs voix et les cris des phoques, des centaines d'oiseaux, goélands, sternes, cormorans, avaient quitté leurs corniches et tournoyaient au-dessus des falaises, troublant la paix du soir de leurs piaillements aigres.

— On a quasiment l'impression de déranger, dit Jean-Denis.

— L'île leur appartient maintenant, murmura Aude en se rassoyant.

Guillaume manœuvra vers un isthme qui unissait les parties est et ouest de l'île. À cet endroit, la côte s'amincissait en deux anses jumelles, l'une au nord, l'autre au sud, qui esquissaient la forme d'une selle de cheval.

— La Saddle, dit Guillaume. Les pêcheurs avaient leurs cabanes ici. Ils pouvaient monter leurs bateaux au nord ou au sud selon le vent.

— Il n'y a pas de quai, observa Jean-Denis.

— Il va falloir s'ancrer. Le vieux quai est bâti sur la pointe ouest, près du phare. De toute façon, il est démoli. On a plus de chances d'échapper à Bourque ici.

Ils amenèrent les voiles. Le *Par là-bas* glissa sur son erre dans une anse sablonneuse. Aude et Jean-Denis étaient subjugués par la tranquillité de l'île.

— Tu penses que Bourque est là ? demanda Jean-Denis d'une voix faussement calme.

— J'ai l'impression que oui. On verra bien.

Guillaume enleva ses souliers et son pantalon et sauta dans un mètre d'eau à l'avant du voilier.

— Sortez de la lune. Jean-Denis, jette une ancre à l'arrière. Passez-moi les sacs si vous voulez qu'on s'installe avant la nuit.

Le soleil baissait rapidement. Guillaume et Jean-Denis débarquèrent le matériel de camping et les provisions. Aude monta sur le dos de Guillaume, qui la déposa sur la plage. À l'ouest de la langue de terre, les vestiges d'une cabane signalaient les anciens rangs de pêche. Ils montèrent la tente dans une clairière à l'abri du vent, à l'orée de la forêt de conifères qui couvrait le versant sud de l'île.

La marée refluait. Guillaume descendit une dernière fois à la côte et ancra le voilier plus au large. Il revint, trempé et frissonnant, juste à temps pour éteindre le feu de camp que venait d'allumer Jean-Denis.

— Pas de feu! Veux-tu qu'il nous aperçoive?

— On pourra même pas se faire de café.

— On n'en mourra pas.

Les dernières lueurs du jour leur permirent de reconnaître les lieux. Le couvert d'épinettes était si serré qu'il en était infranchissable. Le seul accès vers l'ouest de l'île était un sentier qui longeait la côte nord. Ils l'empruntèrent sur une centaine de mètres avant de s'arrêter au sommet d'un cap dominant une petite anse.

Comme l'avait prévu la météo, le vent avait forci et tourné au nord-est. Les lames venues de la haute mer se fracassaient sur la côte rocheuse. L'air était froid et chargé d'humidité.

— Ce doit être la Calf Cove. Le temps se gâte. J'ai eu raison de partir ce matin.

Ils battirent en retraite vers leur campement. La nuit tombait rapidement, une nuit noire, sans fond, qui les emplissait d'une angoisse étrange.

— C'est à peine si on se voit les pieds ! pesta Jean-Denis.

— Pas une miette d'électricité, expliqua Guillaume. On ne voit même pas les lumières de Grosse-Île.

À l'abri des maigres épinettes, enveloppés dans leur sac de couchage, ils se laissèrent pénétrer, silencieux, par l'esprit des lieux. Un noir absolu les isolait du monde.

— Qu'est-ce qu'on fait, patron ? demanda Jean-Denis.

— Demain, on explore l'île, on déchiffre l'énigme et on récupère le trésor.

— Tu m'as l'air bien optimiste. Tu ne sais même pas où il est.

— On trouvera la solution en fouillant l'île.

— Il va falloir se grouiller. Au bout d'une couple de jours, les parents vont s'inquiéter.

Les nuages s'ouvrirent sur le firmament. Aude tira de son sac son cherche-étoiles et l'examina à la lueur d'une lampe de poche.

— Regarde, Guillaume. Je ne les ai jamais vues aussi clairement.

Ils identifièrent la Grande Ourse, le Serpentaire, le Scorpion et le Sagittaire. Le ciel se couvrit de nouveau. Ils se glissèrent dans la tente et se couchèrent pour la nuit.

— Écoutez ! dit Jean-Denis en se dressant.

Des bruits étranges, des ricanements aigus les enveloppaient.

— Calme-toi, dit Aude. Je crois que ce sont des pétrels cul-blanc.

— J'espère qu'ils ne vont pas roucouler toute la nuit.

Ils écoutèrent un moment les appels mystérieux, puis s'endormirent, vaincus par la fatigue.

Dès quatre heures, Guillaume s'éveilla. Une barre de lumière orange montait de l'est. Dans l'herbe luisante de rosée, il marcha, sac de couchage sur les épaules, jusqu'à la Saddle. Le *Par là-bas* cognait des clous dans son anse. Le vent ne semblait pas avoir envie de tourner. Guillaume n'aurait pas besoin de changer de mouillage ce jour-là.

Il retourna à la tente. Jean-Denis, les joues rougies par le froid, roupillait béatement. Aude s'était lovée dans le fond de son sac de couchage.

Guillaume s'habilla, engouffra deux tartines et laissa le campement pour explorer l'île. Il franchit l'isthme et gagna la partie est. Elle consistait en un plateau boisé, long d'un kilomètre. Un sentier le conduisit aux falaises entrevues la veille. Son arrivée au haut des escarpements provoqua un sauve-qui-peut chez les oiseaux.

Il retourna du côté nord, où il découvrit les fondations d'une ancienne conserverie de homard. Il marcha jusqu'à la pointe de l'île où il retrouva le Seal Rock ; il aperçut au loin Grosse-Île et Pointe-aux-Loups. Seul sur le cap, face au pont d'or que le soleil jetait sur la mer, il fut la proie d'une étrange exaltation. Il se retourna et embrassa Brion du regard. Quelque part dans ces bois, dans un recoin de ces falaises, le trésor de Henry

Ratcliffe sommeillait. Lui, Guillaume Cormier, à André à Pierre à Joseph à Honoré à Pierre-Guillaume à il ne savait plus qui, le tirerait de l'oubli et deviendrait riche et célèbre. Il se vit accostant à Havre-Aubert avec, à son bord, non pas vingt kilos de moules mais un vrai trésor, un calice rescapé du Grand Dérangement et, surtout, de l'argent, des doublons d'or et peut-être des diamants et des rubis.

Il tourna sur lui-même, ivre de rêve. Il regarda l'île. Le trésor se trouvait là, au milieu de ces forêts et de ces buttes. Solennellement, il jura de réussir avant quarante-huit heures. Nathaël Cormier avait ratissé l'île en vain pendant des semaines. Lui, Guillaume Cormier, trouverait.

Il reprit le fil de sa rêverie. Il débarquait à Havre-Aubert, le calice précieusement caché dans son sac à dos, et laissait le reste à la garde de Jean-Denis. Où allait-il? Il prenait le chemin de la Grave, montait la butte du Palais de justice, tournait à droite vers la butte de la Croix puis entrait dans la maison de son père.

Le souvenir des sourcils broussailleux, du visage triste de son père éteignit sa joie. Que faisait-il en ce moment?

S'informait-il de son absence auprès de Bathilde ? Avait-il fait une première sortie en mer à bord de la *Marie-Guillaume* ? Avait-il sombré dans une brosse mémorable ? Une nouvelle fois, Guillaume Cormier regretta son départ de la maison.

Plus calme, il revint vers le campement. Le ciel se couvrait. Le vent reprenait là où il avait cessé la veille. Devant la tente, Guillaume se plongea dans le déchiffrage du poème transcrit du journal de Geneviève Boudreau. Aude s'éveilla et vint le rejoindre devant la feuille de papier sur laquelle il avait transcrit l'énigme. Son visage était aussi impénétrable que la mer qui se hérissait sous le nordet.

— Bien dormi ? demanda-t-il.

— J'ai gelé comme un rat. Ce soir, on envoie Jean-Denis dans le voilier. Au moins, on pourra se coller.

— Souris. On n'est pas à la guerre.

Aude produisit une grimace équivoque, où Guillaume lut, comme dans un miroir, ses propres regrets. Il lui caressa la joue.

— Inquiète-toi pas pour ton père. Des fois ça fait du bien de s'éloigner un peu.

26

PIQUE-NIQUE AU PARADIS

Aude et Guillaume eurent beau triturer le poème dans tous les sens, il refusa de livrer son secret. Jean-Denis sortit de son antre, mais son esprit engourdi par le sommeil, obnubilé par une faim cosmique, ne leur fut d'aucun secours.

— On trouvera des indices en explorant l'île, assura Guillaume en rangeant la carte et le poème dans son sac.

— C'est toi qui le dis, soupira Jean-Denis.

— Si t'es venu ici pour chialer, t'aurais aussi bien fait de rester chez vous.

— Prends pas les nerfs. Comment veux-tu trouver un trésor quand tu sais pas où le chercher?

— Reste positif.

— Tu parles comme un entraîneur de hockey.

— Arrêtez donc de vous tirailler, coupa Aude. Vous me faites penser à des enfants de six ans.

La remarque pacifia sur-le-champ les deux amis. Pendant qu'Aude grignotait du bout des lèvres, Jean-Denis avala la moitié d'un pain tranché, accompagné de diverses confitures qu'il tirait de son sac de père Noël. Ils partirent ensuite explorer l'île.

Ils reprirent le sentier de la veille et retrouvèrent la Calf Cove. Le soleil perça la chape de nuages et argenta les vagues bousculées par le vent. À l'ouest de l'anse, des nuées d'oiseaux voltigeaient au flanc des falaises.

— La côte des Mouettes, expliqua Guillaume.

Ils longèrent le gouffre, en gardant leurs distances pour ne pas effrayer les oiseaux. L'agitation de la mer contrastait avec le calme champêtre de l'île.

Nez en l'air, les sourcils froncés par le miroitement des vagues, Guillaume fouillait le terrain, à l'affût d'indices et de points de repère.

— Tu as l'air nerveux, observa Aude.

— Bourque doit être sur l'île lui aussi. Je me demande ce qu'il mijote.

Au détour d'un boisé, ils débouchèrent dans une prairie herbeuse, triangulaire. À son extrémité, entourée d'un bosquet d'épinettes qui oscillaient sous les rafales, une maison abandonnée ouvrait ses orbites vides sur le golfe.

— La maison des Dingwell.

Du foin jusqu'à la taille, ils marchèrent vers l'habitation. La terre semblait avoir été cultivée dans le passé. Le long du bois, quelques pierres blanches, fichées de guingois dans les herbes folles, étaient rassemblées en un petit cimetière.

Flora Dingwell
a native of Prince Edward Island
died June 26th 1891 aged 69 years

William E. Dingwell
died at Brion Island
Oct. 24 1907 aged 64 years

— Ces gens ont vraiment vécu ici ? demanda Aude.

— Jusque vers les années quarante. Il y a un siècle, une dizaine de familles habitaient Brion. C'était surtout des Écossais. Les Dingwell ont été les derniers à hiverner sur l'île, sauf les gardiens du phare.

— Il devait leur manquer un bardeau, maugréa Jean-Denis, toujours hanté par le souvenir du grenier des Flaherty.

— C'était des paysans prospères. Ils vendaient de la viande, des légumes, des vivres aux pêcheurs et aux bateaux de passage.

De près, la maison semblait plus sinistre. La galerie était défoncée, les corniches pourries, les vitres éclatées. Les trois jeunes gens pénétrèrent à l'intérieur. Le plancher était éventré. Tâtant du pied les vieilles solives, Guillaume s'avança jusqu'à une échelle.

— Monte pas là-dedans, dit Jean-Denis, qui était demeuré dans l'embrasure de la porte.

— Pas de danger, c'est encore solide.

Guillaume et Aude gagnèrent l'étage où ils découvrirent, mêlés aux détritus laissés par les visiteurs, quelques vestiges du passage des Dingwell, un miroir brisé, des poignées en porcelaine, une lame de ciseau mangée par la rouille. Guillaume furetait pendant qu'Aude, appuyée à la fenêtre, s'extasiait sur le paysage.

— C'est vraiment la maison du paradis ! Des fois, je pense que j'aurais aimé
vivre dans ce temps-là.

Guillaume sourit et ne dit rien. En
juillet, quand ils étaient en vacances aux
Îles, les gens de la *grand'terre* avaient l'extase facile. Sous un ciel bleu et une douce
brise de suroît, ils n'appréhendaient pas
l'envers du paysage, les bourrasques d'automne, les tempêtes et les verglas d'hiver,
les brumes d'avril, tous ces jours, toutes
ces semaines ensevelis sous la grisaille. Ils
avaient du passé une vision idyllique. À sa
fenêtre, Aude imaginait de beaux paysans
robustes, travaillant joyeusement aux
champs, des femmes rieuses, les bras hâlés
dans leur robe de gros tissu, chantonnant
dans des cuisines pimpantes. Par les allusions des vieux, par la mémoire muette de
sa race, Guillaume connaissait les dessous
de ces existences de rêve. Il savait les
longues heures de labeur, les lendemains
incertains, les horizons bouchés de ces
hommes tendus vers leur seule subsis-
tance. Il n'aurait eu qu'à montrer à Aude
les pierres blanches qui jalonnaient le
cimetière, chacune signalant une enfance
fauchée par la misère, pour la ramener sur
terre.

— Viens-t'en.

Il la tira de sa contemplation. Elle se leva, se blottit contre lui et l'embrassa.

— Je t'aime, dit-elle.

— Le paysage te chavire.

— Tu me crois pas ?

— Ben oui.

Il se tut, embarrassé. Aude se serra contre lui. Depuis qu'ils avaient quitté Havre-Aubert et abordé sur l'île, leur relation avait changé. Loin de son environnement et de la présence de son père, la jeune fille donnait l'impression de mûrir. Elle ne s'adressait plus à lui en copine ou en amoureuse de vacances, mais en femme qui parle à son homme. Cette mutation était accélérée par l'aventure dans laquelle il l'avait entraînée : il n'était plus seulement son *chum*, il était aussi le capitaine et le chef de l'expédition. La tournure de leurs amours le ravissait d'une façon et l'inquiétait d'une autre. Il connaissait assez Aude pour redouter qu'elle ne reprenne soudainement ses distances.

— Jean-Denis va se demander ce qu'on fait, dit Guillaume.

— Ce soir, on l'envoie dans le voilier.

Ils quittèrent la maison et suivirent la côte en direction de l'ouest. Après avoir longé la prairie des Dingwell, ils empruntèrent un sentier dans le boisé. Après une heure de marche, ils atteignirent un cap chauve, donnant plein nord.

— Le cap Clair, dit Guillaume.

Ils obliquèrent vers l'intérieur de l'île et débouchèrent dans une clairière. Une demi-heure plus tard, ils arrivèrent au vieux quai. Le phare, frais peint de blanc et de rouge, fouillait l'infini. Ils marchèrent jusqu'au cap Noddy qui marquait la pointe extrême de l'île. Ils durent se rendre à l'évidence : nulle part ils n'avaient trouvé trace de Wilfred Bourque ou d'indice du trésor.

— On cherche une aiguille dans une botte de foin, dit Jean-Denis en s'assoyant pour dîner.

Debout sur le rocher, Guillaume ne prêtait pas attention aux jérémiades de son ami. Il scrutait l'horizon. La mer était toujours aussi grosse.

— On mange et on retourne tout de suite au campement. J'ai peur que le vent tourne.

— On devrait prendre la côte sud, suggéra Aude. On pourrait se baigner sur la plage.

— Du côté sud, la forêt est impénétrable. On se baignera à la Saddle.

Après une brève collation, ils reprirent, silencieux, le chemin de la Saddle.
Malgré la beauté de l'île, un sentiment de
solitude les oppressait. Ils avaient hâte de
retrouver le voilier et leur campement, de
se plonger dans les eaux claires du golfe et
de se reposer un peu. Guillaume était
soucieux. Pour la première fois, il doutait
de la réussite de leur entreprise. L'énigme
de Henry Ratcliffe avait tenu deux siècles.
L'abbé Donnegan, puis Nathaël Cormier,
peut-être bien d'autres, n'avaient pu la
mettre à jour. Il avait été bien présomp-
tueux, lui, Guillaume Cormier, finissant
de secondaire V, de penser qu'il lui suffi-
rait de poser le pied sur Brion pour percer
son secret.

Ils franchirent la prairie des Dingwell puis doublèrent la Calf Cove. Dès
l'abord de la Saddle, les cris des oiseaux
les alertèrent. Une colonie de goélands
tournoyait au-dessus de leur campement.
Ils coururent jusqu'à la clairière et découvrirent les pillards en train de s'arracher
les restes de leurs provisions. La tente
avait été éventrée à coups de couteau. Les
sacs de couchage lacérés avaient semé des

touffes de duvet d'oie dans les branches des épinettes. Les précieuses confitures de Jean-Denis avaient été répandues avec un plaisir pervers dans les sacs de vêtements.

Les goélands s'envolèrent à regret. Guillaume s'immobilisa sur la scène du désastre.

— Le salaud !

Pas un instant, il n'eut de doute sur l'identité de l'auteur du saccage. Il chercha un message de Wilfred Bourque et ne trouva rien.

Aude et Jean-Denis erraient avec des visages de bois au milieu des décombres. Les regards de la jeune fille et de Guillaume se rencontrèrent soudain. Une même idée venait de leur traverser l'esprit. Ils coururent jusqu'à la Saddle et poussèrent des soupirs de soulagement : le *Par là-bas* tirait sur son ancre, la proue tournée vers l'est.

Aude se tourna vers Guillaume.

— Tu penses pas qu'on devrait retourner à Havre-Aubert ? Ce fou-là est capable de tuer pour son trésor.

— Retourne si tu veux. Je reste.

— On n'a plus rien à manger.

— Les goélands n'ont pas tout bouffé.

Je te le dis : je partirai de Brion avec le trésor, pas avant.

— Tête de pioche !

— Si tu veux, pars en voilier avec Jean-Denis. Tu es capable de manœuvrer. Tu reviendras me chercher dans trois jours.

Aude ne dit rien.

— En attendant, reprit Guillaume d'un ton dur, il faut changer de mouillage. Le vent tourne. Tu viens ?

Il lui tendit la main. Aude le regarda, mi-furieuse, mi-amusée.

— Un vrai petit capitaine...

— À un moment donné, dans la vie, il faut tenir à son idée. Je suis venu ici pour trouver un trésor. Wilfred Bourque ne me fait pas peur.

— Mais l'autre, le grand avec la barbe noire ?

— Il a deux bras et deux jambes, comme nous autres.

Debout sur la falaise, au milieu des oiseaux de mer qui piaillaient en se disputant les restes de leur pique-nique, Guillaume Cormier tendit une nouvelle fois sa main à son amoureuse. Elle la prit et marcha avec lui vers le campement.

— Quand je vais conter ça à mes amies...

27

INSOMNIE

Assis sur son sac à moitié vide, Jean-Denis les attendait, morose, sur les lieux du désastre.

— Un peu de nerf, Painchaud! railla Guillaume. On va aller s'ancrer plus loin, dans la Grande Anse. Ensuite, on va se baigner, ça va nous changer les idées.

Ils transportèrent leurs bagages à bord du *Par là-bas* puis contournèrent la pointe est de l'île. Près du Seal Rock, les phoques les saluèrent, plus nombreux que la veille. Ils plongeaient, virevoltaient, batifolaient autour du voilier comme pour s'amuser de leurs mésaventures.

Guillaume dépassa l'anse du Nord puis longea la côte jusqu'à leur nouveau mouillage. La Grande Anse était un large croissant rocheux, flanqué de deux caps.

Coupés de l'île dans leur embarcation, ils retrouvèrent un sentiment de sécurité. La fin de l'après-midi amena une accalmie. Le soleil se glissa entre les nuages. Ils se jetèrent, frissonnants, dans l'eau cristalline de l'anse. Guillaume descendit en apnée et pêcha une demi-douzaine de homards qui ranimèrent le courage des troupes.

Jean-Denis remit son bonnet de chef et jeta un regard à la ronde.

— Pas de garde-pêche en vue. Enfin un repas civilisé !

Il s'installa à son réchaud. Une heure plus tard, rassasiés, une tasse de café à la main, enveloppés dans des tricots fleurant la rhubarbe et les pommes de pré, les membres de l'équipage firent le point.

— Si Bourque a pris la peine de nous attaquer, c'est qu'il n'a pas encore trouvé le trésor, conclut Guillaume. Il a peur de nous.

— Ça ne nous avance pas d'un poil, maugréa Jean-Denis. On ne sait toujours pas où chercher.

— Il faudra qu'on soit plus prudents. L'un de nous gardera le voilier en permanence. On a toute la soirée pour déchiffrer le poème.

La nuit tomba sur le singulier spectacle de trois adolescents groupés autour d'une lampe à pétrole, griffonnant sur des feuilles aussitôt jetées dans un coin de la cabine.

So when midnight lights the bonfires
to The south will stand the bowman
the Head Of the Roman
will Clear the Name of the Tree
the Meadow Rider will End in
    the Tombs
and the sovereign of the Sea will stare
    at the stars

Ils comptèrent les syllabes, les consonnes, les voyelles, firent des permutations, tentèrent de trouver des latitudes et des longitudes à l'aide des chiffres obtenus, sans résultat : la signification du message leur échappait.

— Ce bandit de Ratcliffe doit ricaner dans sa tombe, dit Jean-Denis. J'abandonne, je me couche.

— On cherche des clés trop compliquées, murmura Aude. Si on prend comme prémisse que le poème est une énigme, aucune de ses composantes ne doit être considérée comme gratuite.

Guillaume grogna.

— C'est quoi une prémisse ?

— Une condition, une hypothèse de base. Chaque terme du poème doit avoir un sens. On devrait commencer par enlever tous les mots neutres, les pronoms, les adverbes, les propositions.

— Super !

Jean-Denis, totalement réveillé, écrivit :

> *midnight lights bonfires*
> *south stand bowman*
> *Head Roman*
> *Clear Name Tree*
> *Meadow Rider Ends Tombs*
> *sovereign Sea stare stars*

— Maintenant, essayons de faire des liens, dit Aude.

Penché sur la carte, Guillaume étouffa un cri.

— On est vraiment nuls ! Regardez !

Sur la carte, il pointa l'extrémité ouest de l'île, marquée d'un nom « La Grosse Head ».

— Voilà pour le *Head.* Et ici : « l'arbre-à-spring ». C'est ce que les vieux appelaient le « Spring Tree », un gros arbre auquel les marins attribuaient des pouvoirs magiques. *Rider* doit faire allusion à la Saddle. *Tombs* au cap des Tombes, un endroit où sont enterrés des officiers du *Lady-Seaton* qui a fait naufrage près du cap *Clear*. *Meadow* doit désigner les prairies qui entourent la maison des Dingwell.

— Il nous reste plusieurs mots, dont *Roman*, dit Aude.

Jean-Denis posa son gros doigt sur un cap de la côte sud.

— Ce doit être ici : *Anthony's Nose*. Le nez d'Antoine.

— Antoine ? fit Guillaume.

— Antoine, l'empereur *romain*, espèce de barbare ! Antoine et Cléopâtre, ça ne te dit rien ? Ratcliffe était un pirate cultivé !

— On aurait pu tomber sur un bon vieux pirate débile, ç'aurait été moins compliqué. On est à peine plus avancés. Le poème fait référence à plusieurs points de l'île, La Grosse Head, le Spring Tree, le cap Clair, la Saddle, le cap des Tombes, Anthony's Nose, un endroit qu'ils appelaient peut-être *the meadows*. Il ne nous indique pas la cachette exacte du trésor.

Les trois équipiers passèrent une heure à méditer ce nouvel aspect du problème.

Le dévoilement partiel du mystère les plongeait dans une fébrilité qui leur faisait oublier les contretemps de l'après-midi. Le *Par là-bas* tirait plus fort sur son ancre. Guillaume sortit. Le ciel s'était obscurci. Le vent avait forci et tourné de quelques degrés vers le nord-est. Un cap gardait toujours le voilier à l'abri des vents du large, mais leur mouillage était tout de même agité.

Guillaume regretta de ne pas avoir de radio pour prendre la météo. Il réintégra la cabine.

— Le vent tourne. On va veiller cette nuit. Je prends le premier quart.

Guillaume aurait aimé s'endormir auprès d'Aude. Il jugea préférable de donner l'exemple. Pendant que ses deux compagnons aménageaient l'étroite cabine avec les couvertures et les restes des sacs de couchage, il s'assit sur le pont, s'emmitoufla dans son ciré et fit de son mieux pour demeurer éveillé.

Les minutes, les demi-heures passèrent. Un silence absolu régnait dans la cabine. Devant lui, la masse sombre de Brion tranchait sur la trame bleue de la nuit atlantique. Wilfred Bourque et son complice étaient tapis quelque part sur

l'île. Quels étaient leurs plans ? Les sur-
veillaient-ils de la falaise ? Le but du saccage du campement était assez évident.
Leurs compétiteurs avaient voulu les
effrayer et les faire quitter l'île pour
chercher le trésor à leur aise. Fallait-il
redouter une autre action de leur part ?

Une fois par heure, Guillaume se levait et vérifiait l'ancre. Malgré les vagues
qui soulevaient sa proue, le voilier ne
dérivait pas.

À une heure, tel que cela avait été
convenu, il alla réveiller Jean-Denis. Les
yeux bouffis, ce dernier gagna l'arrière en
bougonnant, une tasse de café froid à la
main. Guillaume se glissa près d'Aude. Il
alluma une lampe de poche et la regarda.
Elle dormait profondément, une masse
de cheveux noirs en travers de la face. Il
borda la jeune fille, éteignit et s'enroula
dans les couvertures. Bercé par le tangage
du voilier, épuisé, il s'endormit presque
aussitôt.

Il fut réveillé par deux bruits secs, qui
semblaient très proches. Il s'assit et
écouta. Tout était calme. Il se recoucha
puis remarqua que le bateau ne bougeait
plus comme avant. Il se précipita dehors :

le *Par là-bas*, ballotté par des vagues de travers, dérivait rapidement vers la côte.

— Jean-Denis !

Jean-Denis Painchaud, étendu sur le pont avant, émergea d'un sommeil animal et regarda, ahuri, les rochers frangés d'écume qui, à moins de cinquante mètres, attendaient le voilier.

— Maudit innocent ! cria Guillaume.

Il se précipita sur le moteur. Il tira une fois, deux fois, trois fois sur la corde de démarrage. Le hors-bord émit quelques rots, s'éteignit. La rumeur lugubre des vagues sur les écueils grandissait. Maudissant sa négligence, Guillaume tira de toutes ses forces sur la poignée : elle lui resta dans les mains.

Il était déjà trop tard. Alertée par les cris, Aude sortit de la cabine à temps pour voir le *Par là-bas* se diriger droit sur un rocher moussu. Elle hurla et se serra contre Guillaume. Il enroula une écoute autour de son poignet pour parer à la secousse. Pendant ce temps, Jean-Denis, planté comme un chêne en avant du mât, semblait chercher les mots du *Salve Regina*. Il glissa un œil angoissé vers Guillaume, qui le foudroya du regard.

— T'es fier de ton coup ?

Le rocher s'amenait à toute vitesse. Jean-Denis enjamba la lisse et tenta follement d'amortir le choc avec ses bras tendus.

— Jean-Denis !

La nuit retentit de deux bruits terribles : le fracas de la coque qui s'ouvrait contre la pierre et le hurlement de Jean-Denis qui basculait dans les brisants. Le *Par là-bas* s'inclina brutalement sur le flanc. Son mât heurta la cime du rocher et se brisa. Sa quille émergea entre deux lames, faussée. Guillaume et Aude se retrouvèrent les pieds dans l'eau, suspendus à l'écoute de la grand-voile.

— Reste à bord, quoi qu'il arrive !

Guillaume abandonna Aude. S'agrippant à la cabine, il rampa jusqu'à l'avant pour rescaper Jean-Denis, qui menaçait à tout moment d'être broyé entre la coque et les récifs.

— Mon bras ! Mon bras !

Ce n'est que lorsqu'il le saisit par sa vareuse que Guillaume réalisa que son ami hurlait comme un damné depuis vingt secondes.

— Monte à bord !

— Je peux pas ! Mon bras !

Guillaume appela Aude à l'aide. Le voilier, après quelques soubresauts, s'immobilisa, avec soixante degrés de gîte, sur le fond rocheux. Après des efforts inouïs, ils parvinrent à hisser Jean-Denis sur le pont.

Son bras droit pendait d'une étrange façon contre son corps. Pour le reste, il paraissait indemne. Guillaume lui arracha un cri en palpant son épaule sous son ciré.

— Tu dois avoir le bras cassé.

Jean-Denis se mordit les lèvres et ne dit rien. Les vagues frappaient toujours la coque du voilier. La mer s'était infiltrée dans la cabine. Se tenir sur le pont incliné, à la merci du vent et des embruns, était malaisé. Jean-Denis geignait au moindre mouvement.

La côte était à moins de vingt mètres. Le vent semblait s'essouffler à l'approche de l'aube.

— On a l'air fin, dit Aude en claquant des dents.

— Il faut descendre à terre.

— Es-tu fou ?

— Il faudra le faire de toute façon. Jean-Denis sera plus confortable.

Sans attendre, Guillaume descendit dans la mer froide et nagea vers la côte.

Il toucha un fond de sable trois mètres plus loin. Dans la pénombre, il repéra une éclaircie entre les rochers et revint au bateau.

— Ça va aller.

— Vous allez pas me faire nager avec un bras cassé ?

Ils passèrent une veste de sauvetage au cou de Jean-Denis. Aude enveloppa son briquet dans un sac étanche et le glissa dans son pantalon. Avec mille précautions, ils aidèrent le blessé à descendre à l'eau et le remorquèrent vers la côte.

Ils mirent pied sur une plage de galets près d'un cap percé d'une grotte.

— Prépare un feu, dit Guillaume à Aude. Je reviens.

Il fit deux voyages jusqu'au *Par là-bas* et en rapporta un sac et deux couvertures qui avaient échappé à l'inondation. Un feu de brindilles et de bois de grève crépitait déjà lorsqu'il s'assit aux côtés de ses compagnons d'infortune.

— Au moins, la carte et le poème de Ratcliffe sont intacts.

— Merveilleux, grinça Jean-Denis.

— Belle aventure ! renchérit Aude en frissonnant sous sa couverture.

Guillaume, atterré, épuisé par sa navette, ne dit rien. Devant lui, au milieu des brisants qui scintillaient sous les derniers rayons de lune, le *Par là-bas*, couché sur le flanc, soutenait dérisoirement l'assaut des vagues.

— Qu'est-ce qu'on fait ? demanda Aude.

— On attend.

28

DES PAS SUR LA PLAGE

— C'est ma faute. Je me suis endormi.

— As-tu entendu les coups ?

— Quels coups ?

— On aurait dit que quelque chose cognait sur la coque.

— J'ai rien entendu. Je sais pas comment j'ai pu m'endormir.

— En fermant les yeux, toto ! Arrête de te tracasser. Ton bras va mieux ?

— C'est moins pire avec l'écharpe.

— Excuse-moi pour tantôt.

— On n'en parle plus.

Aude, vaincue, s'était endormie. Devant le feu qui fumait doucement, Guillaume Cormier et Jean-Denis Painchaud se réconciliaient pour la millième fois.

— Sais-tu que t'es chanceux, Guillaume ? reprit Jean-Denis après un silence.

— Chanceux ?

— Je parle pour Aude.

— Ça peut t'arriver.

— Tu sais bien que non. Je suis gros, je suis gentil, je suis maladroit. Les filles me parlent de leurs problèmes avec leur *chum*. Ça va jamais plus loin.

— Maigris.

— Maigris ! Si je maigrissais, j'aurais quand même l'air d'un faux maigre. Ça trompe pas. C'est toi le chanceux : tu es pas si beau que ça, mais tu as un petit côté ténébreux, méchant. Les filles aiment ça.

Guillaume fit semblant d'inspecter le crâne de son ami.

— Tu t'es cogné la tête ?

— Arrête de faire le con ! J'ai rien qu'une chose à te dire : prends soin de ta dulcinée parce qu'il en pleut pas de ce modèle-là.

— Crains pas.

Guillaume tendit ses pieds vers le feu. À l'est, un liséré orange annonçait l'aube.

— Veux-tu toujours trouver ce trésor-là ? demanda Jean-Denis.

— Essaie de dormir. La journée va être longue.

Son bras replié à la Bonaparte, Jean-Denis se laissa glisser dans un sommeil agité. Le vent tombait sur la scène du naufrage. Le *Par là-bas* était échoué sur le rocher qui prolongeait le cap du Lady-Seaton. Les genoux ramenés sous le menton, Guillaume fit le point sur la situation. Ils étaient coincés sur l'île, avec un blessé et quelques provisions. Il avait froid. Il avait soif. Bien sûr, un bateau finirait par passer et les rapatrier. En attendant, Wilfred Bourque avait tout le loisir de continuer ses recherches.

Il regarda Aude et Jean-Denis. Il regrettait de les avoir entraînés dans l'aventure. Le souvenir du naufrage et de sa conduite envers Jean-Denis le cuisait. Un bon capitaine ne perd jamais son sang-froid. Un bon capitaine ne prend pas la mer avec un moteur qui ne démarre pas au quart de tour. Un bon capitaine gagne le large au lieu de passer la nuit dans une anse mal abritée.

Dès que le jour fut suffisant, il enleva son pantalon et le suspendit pour le faire sécher. En t-shirt et en caleçon, il nagea jusqu'au bateau. Une brève inspection de l'épave confirma ses soupçons : la corde de l'ancre avait été sectionnée à un mètre de la proue. Il comprenait maintenant ce qui s'était passé. Quelqu'un, Bourque ou plus probablement son complice, avait nagé jusqu'au *Par là-bas* et coupé l'ancre. Il avait ensuite frappé contre la coque pour les avertir de déguerpir au plus vite.

L'idée était brillante : sans ancre, sans quai où aborder sur Brion, il n'aurait eu d'autre choix que de retourner vers Grosse-Île ou Grande-Entrée. Bourque n'avait pas prévu que le moteur calerait et que le bateau serait jeté à la côte.

Guillaume serra les dents et maudit l'Américain. Sa décision était prise : Jean-Denis et Aude pouvaient tenter de quitter l'île s'ils le voulaient, lui demeurerait sur Brion. Il n'abandonnerait pas si près du but.

Il se hissa sur le pont et gagna la cabine. La situation n'était pas si catastrophique. Leurs vêtements étaient trempés mais récupérables. Son matériel de plongée était intact. Les bidons d'eau potable étaient étanches, de même que les conserves. Les cartes, les livres, le poème de Ratcliffe, tout était au sec, soigneusement rangé dans les tiroirs près des hublots.

Une heure plus tard, il avait transporté tout le matériel sur le rivage. Jean-Denis récupéra son bonnet de cuisine et entreprit, malgré son bras cassé, de préparer du café. Se sentait-il responsable du naufrage ? Il démontrait une gaieté et un courage suspects. Songeuse, Aude faisait sécher les vêtements au pauvre soleil du matin, avec des airs de réfugiée.

— Alors, patron ? ironisa-t-elle.

— Après ce merveilleux déjeuner, nous déménageons dans la maison des Dingwell.

— Et Jean-Denis ? Penses-tu qu'il va se promener longtemps avec son bras cassé ?

— Ce soir, demain au plus tard, nous serons à Havre-Aubert.

— Avec le trésor ?

— Avec le trésor.

— Tu es tombé sur la tête.

Chargés comme des mulets, les naufragés quittèrent l'anse et gagnèrent le plateau qui menait à la maison des Dingwell. Au moment de laisser la falaise, Guillaume jeta un regard ému sur son voilier. Il ne se faisait pas d'illusions : le *Par là-bas* avait gagné sa modeste place dans le répertoire des épaves de Brion. Qui sait ? Son nom serait peut-être écrit à côté de celui du *Lady-Seaton* sur les futures cartes des naufrages ?

Le soleil était déjà haut lorsqu'ils posèrent leur fardeau devant la maison abandonnée. Un fort vent d'ouest balayait l'île. Aude regarda la mer qui moutonnait devant la silhouette lointaine de la Grosse Île.

— C'est pas aujourd'hui qu'on viendra nous chercher.

Guillaume ne dit rien, tout occupé qu'il était à aménager une petite pièce qui avait dû servir de vestibule aux anciens occupants des lieux. Il remplaça les lames pourries du parquet, aligna les planches de son mieux, balaya le tout au moyen d'un torchon de foin. Vingt minutes plus tard, il avait créé un espace presque confortable. Les fenêtres et la porte béaient aux quatre vents, mais ils étaient à l'abri.

Jean-Denis, pâle après la longue marche, demeurait assis à l'extérieur.

— Vous me ferez pas coucher là-dedans.

Son travail terminé, Guillaume sortit ses cartes et se replongea dans le déchiffrage du poème. Aude vint s'asseoir à côté de lui mais perdit patience au bout de cinq minutes.

— Je m'en vais me baigner à la Saddle.

— À tantôt, dit Guillaume distraitement.

Une heure plus tard, il leva les yeux de ses griffonnages. Le silence de l'île, à peine troublé par le grondement lointain des vagues, lui sembla soudain irréel. Il sortit. À l'ombre des épinettes, la tête appuyée contre son sac, Jean-Denis semblait tout entier concentré sur une idée : ne pas bouger.

— As-tu vu Aude ?

— Non.

Guillaume grogna et retourna à l'intérieur de la maison. Cinq minutes plus tard, il en ressortit.

— Je descend à la Saddle.

— Si tu vois un bateau, sors ton pouce.

Il passa la côte des Mouettes et la Calf Cove. Un mauvais pressentiment l'habitait. La Saddle était déserte. Il cria le nom de son amie, courut jusqu'au cap des Tombes, fouilla la côte sud du regard. Aucun signe de vie. Il retourna sur la langue de sable et inspecta la plage. Des traces de pieds provenaient d'un tronc d'épinette séché par le soleil. Il se pencha. La taille des empreintes correspondait aux pieds d'Aude. Derrière le tronc, il trouva son sac, ses vêtements et quelques mégots.

Il se retourna et appela de nouveau. Sa voix se perdit dans le fracas des vagues. C'est alors qu'une évidence le frappa. Le sable ne montrait qu'une série d'empreintes. Elles allaient à la mer, mais n'en revenaient pas.

29

SO WHEN MIDNIGHT...

Sous le vol furtif des oiseaux, les vagues montaient du large, écumantes, parallèles, et crevaient sur la plage, abandonnant, reprenant, dans un troc inlassable, algues, cailloux et coquillages. Aucun signe de vie humaine ne troublait l'horizon. Le spectacle de la plage déserte plongea Guillaume dans un état proche de la terreur. Aude était une bonne nageuse. La mer avait beau être grosse, le ressac n'était pas assez traître pour l'entraîner au large. À moins que...

Guillaume regarda vers la pointe de l'Est. Une famille d'eiders quitta paresseusement la plage et traversa l'anse vers le cap des Tombes. S'il réfléchissait calmement à la situation, il trouverait une explication logique à la disparition d'Aude. La plus simple était qu'elle s'était jetée à l'eau, avait nagé vers la pointe de l'Est et entrepris de l'explorer. Mais pourquoi ne répondait-elle pas à ses appels ? Elle devait avoir froid. Même en juillet, le fond de l'air était trop frais pour qu'elle restât longtemps en maillot sur la terre ferme.

Guillaume longea l'isthme sablonneux et gagna la pointe de l'Est. Il visita les caps, les anses, s'enfonça dans les sous-bois pétrifiés par la mousse et le salange. Il ne fit que déranger les sternes, qui se mirent à piailler et à piquer vers lui pour l'éloigner de leurs nids. Il revint à la Saddle, ramassa les effets de la disparue et se hâta, la mort dans l'âme, vers la maison des Dingwell.

Pour ajouter à ses malheurs, le temps menaçait. Le vent pivotait vers le sud, où d'épais cumulus se rassemblaient. L'est était déjà bouché. La table était mise pour un orage. Guillaume réfléchissait. Une nouvelle explication s'imposait : Wilfred Bourque. Il avait saccagé leur camp, fait s'échouer leur voilier, il était capable d'enlever Aude.

Guillaume fouilla les bois, les collines du regard. Bourque voyait tout, savait tout. Depuis leur arrivée sur l'île, il les avait suivis à la trace et avait frappé quand bon lui semblait. Il fallait que le trésor de Brion soit bien précieux pour transformer ce petit historien aux allures de mollusque en un aventurier capable de toutes les audaces.

Vaincu par l'imminence de l'averse, Jean-Denis s'était résigné à pénétrer dans leur refuge. Il était assis sur le plancher, près de la porte, un bâton dans sa main valide, prêt à assommer le premier rongeur à se pointer le museau. Il leva vers Guillaume un visage tendu : depuis la veille, il semblait avoir perdu cinq kilos.

— Alors ?

La vue de son ami blessé vint à bout du courage de Guillaume. Il avala un sanglot, essaya de parler et dut se contenter de montrer le sac de toile d'Aude.

— Encore notre ami américain ?

— Ça doit. Si je l'attrape, je lui fais manger ses lunettes !

Jean-Denis accueillit la nouvelle de la disparition d'Aude avec le stoïcisme d'un général d'armée en déroute. Guillaume s'assit à ses côtés. Les deux amis demeurèrent ainsi prostrés pendant plus d'une

heure, incapables de penser ou d'écha-
fauder un plan. Une averse tambourina
brièvement sur les tôles du toit.

Jean-Denis dressa soudain la tête, aux
aguets.

— Écoute !

Des bruits de voix leur parvenaient.
On approchait sans prendre la peine de se
dissimuler. Jean-Denis regarda par la
fenêtre défoncée.

— Tu as dit que tu lui ferais manger
ses lunettes ?

Guillaume se leva. Wilfred Bourque,
des chaussures de sport neuves aux pieds,
son coupe-vent se gonflant sous la brise,
s'amenait vers eux du pas tranquille d'un
touriste en excursion. Il était flanqué d'un
grand barbu aux allures de débardeur, qui
clignait de l'œil gauche à toutes les trois
secondes.

— Le gorille n'a pas l'air commode,
commenta Jean-Denis en reconnaissant
son geôlier du chemin des Amoureux.

Il se blottit contre le mur en serrant
son bras cassé sur son thorax.

— Ça ne sert à rien de jouer au plus
fin, murmura Guillaume. Ils savent que
nous sommes ici.

Sans plus tarder, il sortit sur le pas de la porte, comme s'il était le propriétaire des lieux.

— Monsieur Cormier! ironisa Bourque. Comment trouvez-vous la maison de Townsend Dingwell? Confortable?

L'air triomphant du petit homme ébranla Guillaume. Il parlait en vainqueur, comme si le trésor était déjà en sa possession.

Jean-Denis apparut derrière Guillaume.

— Pauvre monsieur Painchaud! J'espère que votre blessure n'est pas sérieuse. Si le moteur de votre bateau avait démarré, vous n'auriez pas eu à subir tous ces désagréments!

— Arrêtez de niaiser! dit fermement Guillaume. Où est Aude?

— *Take it easy, young man!* Je vous présente Roger. C'est un ami.

— Oui, M. Roger Boudreau, de l'avenue de l'Église à Verdun, dit Jean-Denis en s'enhardissant.

Le gorille, surpris, se mit à cligner de l'œil plus rapidement.

— Vous m'impressionnez vraiment, susurra Wilfred Bourque sans se départir de son calme. Deux bons petits boy-scouts ! Le grand jeu est terminé. Vous avez perdu.

— C'est ce que vous croyez, bluffa Guillaume en cherchant dans sa mémoire des dialogues de films d'action.

— C'est la vérité. Abandonnez la partie. Attendez qu'on vienne vous chercher. Le trésor d'Henry Ratcliffe est à moi.

— Où est Aude ?

— Je vous le dirai en temps et lieu. Je n'ai jamais voulu entrer en conflit avec vous. Si vous m'aviez vendu la croix quand je suis allé vous voir à la marina, si vous ne m'aviez pas poursuivi jusqu'ici, vous seriez tous les trois en train de manger des *banana split* sur la Grave.

— Vous êtes un bandit !

L'insulte fit apparaître un sourire triste sur le visage de l'Américain.

— Les jeunes sautent vite aux conclusions. Pour vous, cette course au trésor est une aventure de vacances. Pour moi, c'est l'aboutissement de dix ans de recherche. Je connaissais l'histoire d'Henry Ratcliffe depuis longtemps.

— Vous avez profité de nos informations pour vous enrichir ! dit Guillaume.

Wilfred Bourque échangea un regard complice avec son garde du corps.

— Il ne faut pas se fier aux apparences. Le hasard vous a placés sur mon chemin. Le livre de Shakespeare m'a fourni le poème qui menait au trésor. Aux pages 47 et 61, l'abbé Donnegan avait encerclé deux mots qui m'indiquaient les coordonnées de l'île Brion. Malheureusement, je n'ai pas compris tout de suite. Je n'avais même pas besoin de la croix pour trouver la cachette de Ratcliffe.

— La nuit passée, vous auriez pu nous tuer en coupant notre ancre, gémit Jean-Denis.

— Ce n'est pas de ma faute si votre moteur n'a pas démarré. Viens, Roger.

Sourire aux lèvres, l'historien esquissa un salut de la main et s'apprêta à partir.

— Ne vous réjouissez pas trop vite, dit Jean-Denis. Quand vous quitterez Brion, vous ne serez pas encore sur le continent.

— Ne vous inquiétez pas pour moi.

Bourque tourna les talons et s'éloigna vers le cimetière. Guillaume s'élança vers lui. Le gorille l'intercepta, le saisit par le col et le souleva avec une inquiétante facilité.

— Où est Aude ? cria Guillaume en agitant les pieds.

Dix mètres plus loin, Bourque se retourna et s'amusa de la scène.

— Ne vous faites pas de mauvais sang. Elle est en sécurité, dans un endroit tranquille.

— Où ?

Bourque fit encore quelques pas vers l'ouest avant de se retourner et de lancer :

— *So when midnight lights the bonfires !...*

Il reprit son chemin sans prendre la peine de réciter le reste du poème. Le gorille lâcha Guillaume, émit un rire narquois et pressa le pas pour rejoindre l'Américain.

30

LE CAP AUX CÔTES
DE BALEINE

— D'abord manger, dit Jean-Denis.
On réfléchit mal le ventre vide.

— Le cerveau doit te chauffer de
temps en temps.

Après le départ de Bourque, Guillaume avait semblé retrouver un peu
d'énergie. Il était rentré chez les Dingwell
et s'était aussitôt étendu, la tête entre les
mains, devant l'énigme d'Henry Ratcliffe.

So when midnight lights the bonfires
to The south will stand the bowman
the Head Of the Roman
will Clear the Name of the Tree
the Meadow Rider will End in
the Tombs
and the sovereign of the Sea will stare
at the stars

— Maintenant, on n'a plus le choix. Il faut trouver.

La dernière phrase de Bourque était claire : il avait abandonné Aude dans la cachette du trésor. Machiavélique jusqu'au bout, il forçait Guillaume à se lancer à la recherche de son amie et l'empêchait de nuire à son départ de l'île. Aude lui avait sans doute révélé qu'ils connaissaient le texte de l'énigme. Le chercheur pouvait ainsi penser que Guillaume la délivrerait dans un délai raisonnable.

D'autres questions demeuraient sans réponse. Pourquoi Bourque avait-il enlevé Aude ? Les avait-elle surpris près du trésor ? L'important était de la retrouver. En se penchant avec fébrilité sur le texte, Guillaume était la proie de violents remords. Le film des derniers jours repassait dans sa tête. Sa quête du trésor l'avait amené à négliger Aude. Par un caprice du destin, Bourque s'était chargé de lui rappeler qu'elle valait plus que toutes les richesses. Le trésor de Brion, c'était ces cheveux, ce visage, ce sourire dont il avait rêvé tout l'hiver dans sa chambre de Havre-Aubert. Il l'avait dans les bras et l'avait abandonnée pour poursuivre une chimère.

Jean-Denis lui tendit une boîte de conserve.

— J'ai un peu de misère à ouvrir ça avec une main.

Guillaume s'exécuta. Malgré les progrès réalisés la veille, le mystère demeurait entier. Sept mots du poème semblaient faire référence à des lieux de l'île : La Grosse Head, le cap Clair, le Spring Tree, Anthony's Nose, les Meadows, la Saddle et le cap des Tombes. Quelle était la relation entre ces points et la cachette du trésor ?

Quinze minutes plus tard, Jean-Denis mit sous le nez de Guillaume une gamelle remplie à ras bord de fèves au lard.

— Du ketchup ?

— Non merci.

— Il faut que tu manges.

À contrecœur, Guillaume, les yeux toujours fixés sur l'énigme, se força à ingurgiter la pâtée brunâtre. Jean-Denis s'assit avec précaution à ses côtés. D'une main distraite, Guillaume prit une carte et marqua au crayon à la mine les sept points révélés par le poème.

ÎLE BRION

N
E
S
O

La Saddle

Cap aux Côtes de Baleine
(lieu du trésor)

Cap des Tombes

Les Meadows

Anthony's Nose

Golfe du St-Laurent

Spring-Tree

Cap Clair

La Grosse Head

— Il n'y a rien à comprendre, murmura-t-il, découragé.

— Pas de panique, dit Jean-Denis. Une chose me frappe. Les deux premières lignes ne contiennent pas de noms de lieux. Même chose pour la dernière. Elles doivent fournir la clé générale de l'énigme.

— Merveilleux. Que signifie «Quand minuit allume les feux, au sud se tiendra l'homme de proue» ?

— Ou «l'Archer», comme disait Aude. D'abord, «bonfires» se traduit plus précisément par «feux de joie». «Quand minuit allume les feux de joie», à mon avis, c'est la Saint-Jean.

— Ça peut être n'importe quelle fête.

— La tradition a plusieurs siècles. À minuit, le 24 juin, on allume des feux de joie. Traduisons le poème comme ceci : «À minuit, à la Saint-Jean, au sud se tiendra l'Archer».

— Mmmm...

Guillaume devint songeur. Il déposa sa gamelle et regarda attentivement les points qu'il avait noircis sur la carte. Il se leva et fouilla dans le sac d'Aude. Dix secondes plus tard, il se mit à crier et à danser sur les planches disjointes.

Jean-Denis leva un regard inquiet vers le plafond.

— Calme-moi, tu vas faire tomber la cabane ! Qu'est-ce qu'il y a ?

— Regarde !

Guillaume exhiba triomphalement le cherche-étoiles d'Aude. Il s'assit près de Jean-Denis, fit pivoter la rondelle de façon à faire coïncider les marques de minuit et du 24 juin et pointa son doigt sale vers la constellation située sur l'axe sud.

Jean-Denis hochait la tête, perplexe.

— Tu ne comprends pas ? C'est le Sagittaire !

— C'est quoi le rapport ?

— « L'Archer » ! Le Sagittaire ! C'est mon signe du zodiaque. Le symbole du signe est un cheval avec un torse d'archer. Comment s'appelait le bateau de Ratcliffe ?

— Le *Sagittarius*… Tu es un petit génie.

— Le génie, ce n'est pas moi. C'est Ratcliffe. Regarde.

Guillaume prit la carte de Brion et l'accola au cherche-étoiles.

— Wow !

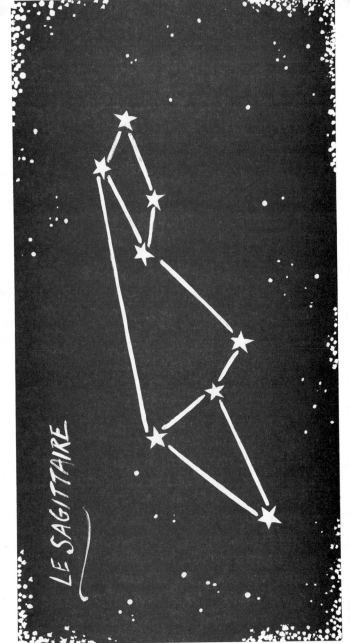

LE SAGITTAIRE

Les points désignés par le poème correspondaient à la configuration de la constellation. L'île Brion épousait la forme du Sagittaire! Les deux amis demeurèrent bouche bée d'admiration devant la beauté de l'énigme qu'avait imaginée Henry Ratcliffe deux cents ans plus tôt.

— C'est vrai qu'il était calé en astronomie! dit Jean-Denis. Le reste devrait être un jeu d'enfant. Combien y a-t-il d'étoiles dans le Sagittaire?

— Huit.

— Combien de points sur la carte de l'île?

— Sept.

— Bingo! Le trésor est caché au huitième!

Les mains tremblantes, ils relièrent les points de la carte. Il manquait une étoile dans la queue de la constellation et elle correspondait à un point sur la pointe de l'Est.

— Le cap aux Côtes de Baleine! s'écria Guillaume. «Et le souverain des mers regardera les étoiles»! Attache tes godasses, on part!

Sans plus attendre, Guillaume enfouit le poème, le cherche-étoiles et la carte

dans le sac d'Aude. Il prit sa hache et son couteau, de même qu'une pelle pliante.

— Pourquoi t'apportes ça ? Bourque est déjà parti avec le trésor.

— Ça peut toujours être utile. Quelle heure est-il ?

— Deux heures.

— Parfait. On a tout le temps de trouver Aude et de retourner sur terre avant la nuit.

— Comment ?

— On verra.

Les deux amis quittèrent leur refuge. Le temps s'était encore gâté. Le ciel était sombre. Le vent du sud charriait le grondement sourd des lames qui se ruaient sur la côte. Une pluie fine tombait obliquement et rendait le foin glissant.

Guillaume marchait rapidement, pressé de vérifier la pertinence de leurs déductions. Bientôt Jean-Denis, dont le bras élançait à chaque pas, traîna en arrière.

— Ne m'attends pas. Je te rejoindrai là-bas.

Guillaume partit en éclaireur vers la Saddle. Il traversa l'isthme assiégé par les vagues et se dirigea aussitôt vers le cap aux Côtes de Baleine.

La pointe de terre rouge, d'une quinzaine de mètres de hauteur, était située sur la côte sud. Elle devait son nom au squelette d'une baleine échouée, dont les immenses côtes avaient frappé l'imagination des pêcheurs saisonniers. De toute évidence, le squelette était déjà là du temps d'Henry Ratcliffe. Guillaume déboucha sur un plateau herbeux, semé de quelques pierres, coincé entre la falaise et un bois de conifères. À première vue, rien ne le distinguait du reste de la pointe de l'Est.

Il appela Aude. Le vent lui répondit. Il chercha des traces de pas. L'herbe ébouriffée par le vent ne lui révéla rien. Il se coucha sur le bord de la falaise et plongea son regard vers le rivage mais ne rencontra que les regards courroucés des sternes et des guillemots. Autour de lui, rien n'indiquait la présence d'un squelette de cachalot ou la cachette du pirate bostonien.

Le doute s'installa de nouveau en lui. S'étaient-ils trompés, emportés par leur désir de retrouver Aude? Jean-Denis s'amenait, grimaçant et essoufflé.

— Alors, patron?

— Ne m'appelle pas patron. Je ne vois rien.

Jean-Denis essuya son visage ruisselant de pluie.

— J'ai pensé à quelque chose en venant. Les majuscules.

— Les majuscules ?

— Tu es sûr d'avoir copié le journal de Geneviève Boudreau intégralement ?

— Tu me prends pour un cave ?

— J'ai une idée. As-tu le poème ?

Guillaume sortit la feuille froissée de sa poche.

— C'est bien ce que je pensais. La première lettre des mots désignant les points sur la carte est écrite avec une majuscule. Mais d'autres mots, un peu au hasard, portent aussi des majuscules. So, The, Of, Name, Ends, Sea. Ça doit vouloir dire quelque chose.

— *Stones* ! Des pierres !

— Les mots dessinent même un escalier dans le texte. Sous une pierre de ce cap, un escalier mène au trésor.

— À Aude, tu veux dire.

— C'est pareil.

Ils regardèrent autour d'eux. Sur le cap, nichées dans l'herbe folle, quelques pierres moussues étaient disséminées.

— Maintenant, où chercher ? réfléchit Jean-Denis à voix basse.

Guillaume se tenait à l'écart et observait l'agencement des pierres. Il se frappa le front, courut vers l'une d'elles et l'examina.

— Jean-Denis !

Jean-Denis trouva son ami accroupi près d'une pierre plate, d'un mètre de diamètre, bordée de traces fraîches de terre rouge.

— Comment as-tu su ?

— C'est simple. Ratcliffe a été logique jusqu'à la fin. Il y a huit pierres sur le cap, disposées comme les huit étoiles du Sagittaire. La cachette est située sous la pierre indiquée par le poème.

— Génial. Bourque a dû passer par ici aujourd'hui. SÉSAME, OUVRE-TOI !

— Nono !

Ils s'attelèrent à la tâche de déplacer la pierre. Guillaume parvint à la soulever de quelques centimètres. Jean-Denis glissa un rondin dans l'interstice. Grognant, soufflant, ils firent rouler la roche sur l'herbe et dégagèrent une ouverture dans le sol.

— Aude !

— Ici !

La voix angoissée de la jeune fille leur parvint. Fichée dans la paroi, ils découvrirent une feuille de papier quadrillée.

Félicitations ! Vous avez découvert le secret d'Henry Ratcliffe. Faite attention, l'escalier est glissante.

Wilfred

Guillaume, très énervé, pointa le faisceau de sa lampe de poche au fond du trou. Il découvrit un escalier taillé dans le grès, étayé par des pièces de bois grossièrement équarries.

— Une corde ! s'écria Jean-Denis.

Une corde de nylon jaune, toute neuve, était enroulée autour d'un clou planté dans la première marche.

— Bourque a dû l'installer pour aider à la descente.

Fébrilement, Guillaume se glissa dans l'ouverture. Il posa son pied sur une première marche, puis sur une autre. Le passage souterrain s'élargissait et s'enfonçait en direction de la mer. Il posa le pied sur la marche suivante. Le sol se déroba soudain sous ses pieds et il fut entraîné dans un éboulement. Il se retrouva deux mètres plus bas, de la terre et des gravats jusqu'à la taille, suffoqué par la poussière et l'odeur de renfermé. Il regarda au-dessus de lui et vit un coin de ciel. Puis il cria vers le fond du passage.

— Aude !

Il cria de nouveau, à pleins poumons. Pour toute réponse, il n'entendit que le grondement de la mer sur la falaise.

31

UNE ÉTRANGE COMPAGNIE

Les jambes emprisonnées dans la terre rouge et les débris de bois pourri, Guillaume Cormier se sentit submergé par une lame de désespoir. Il imaginait Aude ensevelie dans une crypte, étouffant lentement sous les éboulements.

— Qu'est-ce qu'il y a ? cria Jean-Denis.

— L'escalier s'est écroulé. Lance-moi la pelle, vite !

Dans la pénombre, Guillaume dégagea ses jambes et parvint à se mettre debout. L'entrée du tunnel s'était considérablement agrandie. Il tendit la main, saisit la pelle et commença à creuser. Il comprit bientôt la vanité de ses efforts. Aussitôt dégagée, la terre glissait vers le bas, comme dans un entonnoir. D'après son estimation, l'escalier devait avoir une dizaine de mètres de profondeur. Aude avait le temps de mourir vingt fois avant qu'il puisse la rejoindre.

Plus mort que vif, Guillaume remonta à l'air libre. Jean-Denis, le visage enfoui dans sa main valide, était catastrophé.

— Qu'est-ce qu'on va faire ?

— Il faut trouver du secours, vite ! Peut-être qu'avec des hommes et de la machinerie...

Les deux garçons regardèrent autour d'eux. La pluie tombait toujours. La Grosse Île avait disparu. Une brume épaisse isolait Brion du reste du monde. Ils auraient beau faire des feux, envoyer des signaux, personne ne s'apercevrait de leur détresse avant le retour du beau temps.

Pour la première fois, Guillaume s'abandonna aux larmes. Il était vaincu. Aude était morte, par sa faute. La tête basse, les épaules secouées de sanglots, il eut envie de mourir. Jamais il n'aurait la force de retourner à Havre-Aubert. Il marcherait jusqu'au faîte du cap Clair et se jetterait dans la mer écumante. Tout plutôt que d'affronter le regard de Pierre Brousseau ou de son père.

Jean-Denis, atterré par le désespoir de son chef d'expédition, tenaillé par la douleur dans son épaule, tentait malgré tout de l'encourager.

— Allez, Guillaume. C'est pas le temps d'abandonner, on va trouver une solution.

Il se glissa dans l'ouverture pour juger lui-même de la situation.

— Guillaume ! La corde bouge !

Jean-Denis n'avait pas la berlue. Il avait bien senti une secousse dans la corde que Bourque avait tendue entre la surface et la crypte. Il tira deux coups secs. Aude lui répondit.

Guillaume sauta sur ses pieds et s'approcha. Il donna lui aussi deux secousses au filin de nylon. Il bondit de joie en percevant une réponse. Ses larmes continuaient de couler, mais un espoir le soulevait. Quelque part au milieu de ce cap, Aude vivait.

Les coups se multipliaient. Le poignet de Guillaume recevait de petites secousses continuelles, séparées par des intervalles réguliers.

— Jean-Denis, prends un crayon.

Trois points. Un point, une barre, un point. Aude lui envoyait un message en morse ! Guillaume dicta à Jean-Denis.

— O. R. S. E. Elle veut s'assurer que je comprends le code.

La corde se détendit. Il envoya : trois barres. Une barre, un point, une barre. OK.

Dès lors, la transmission s'accéléra.

— G. R. O. T. T. E. Elle est dans une grotte. M. A. R. É. E. Godême ! V. I. T. E.

Silence. Guillaume regarda Jean-Denis.

— La grotte doit être accessible par la mer. Je descends. Toi, tiens la corde !

— Je connais pas le morse !

— Elle doit avoir besoin de compagnie. Note les messages qu'elle t'envoie.

Sa lampe de poche à la ceinture, Guillaume descendit avec précaution en bas du cap. Poussée par le vent, gonflée par la marée montante, la mer battait la falaise. Le cap aux Côtes de Baleine était composé d'un grès brunâtre, friable, dont les strates formaient des corniches pour les oiseaux. Sous l'érosion de la mer, la côte était creusée de grottes, certaines profondes, que les vagues fouillaient de leurs langues avides.

À partir de l'emplacement et de l'inclinaison de l'escalier, il n'eut aucune peine à trouver une arche qui s'enfonçait vers le centre de l'île. Il enleva ses vêtements. Lampe à la main, il se laissa couler dans l'eau agitée et pénétra dans la grotte.

Le plafond, d'abord haut de plus de deux mètres, s'abaissait rapidement jusqu'à la surface des eaux. La grotte se rétrécit jusqu'à ne plus permettre d'y nager à l'aise. Frissonnant dans l'eau glacée, Guillaume dut allumer sa lampe pour s'orienter. Les vagues s'engouffraient et refluaient dans l'entonnoir. Il éprouvait les plus grandes difficultés à surnager. Du pied, il effleurait du grès moussu, tapissé de coquillages. Sa tête heurtait les flancs lisses du tunnel. Il tendit le bras sous l'eau et ne rencontra pas d'obstacle. Il plongea et nagea trois mètres plus loin. Le tunnel ne rétrécissait pas mais ne s'ouvrait pas vers le haut.

Hors d'haleine, il retrouva la grotte. Il n'y avait pas cent possibilités. Le passage vers la crypte où était enfermée Aude, si passage il y avait, était sous-marin.

Il sortit et remonta avertir Jean-Denis de la situation. Celui-ci avait noté une série de barres et de points. JE TAIME. Guillaume envoya : 30 MINUTES.

Ce fut le temps qu'il prit pour courir jusqu'à la maison des Dingwell et en revenir avec son matériel. Épuisé, il enfila ses palmes, mit sa bonbonne, vérifia la bonne marche du régulateur, lava son masque et se glissa dans la grotte.

Il parvint sans encombre jusqu'à l'entonnoir. Il fit une halte pour prendre son souffle. Une peur mortelle lui étreignait le cœur. Allait-il se trouver coincé dans l'étroit passage ? Pourrait-il sortir Aude de ce trou à rat ?

Il fallait foncer. Il se laissa couler et respira quelques instants dans les eaux bouillonnantes. Les bulles qui s'échappaient de la bonbonne produisaient un gargouillement sinistre dans l'entonnoir. Il alluma sa lampe et promena sa lueur blafarde sur les surfaces rocheuses. Basculant sur le dos, les mains suivant à tâtons la paroi supérieure du tunnel, il s'enfonça dans l'ouverture.

Il avançait lentement, s'attendant à tout moment à heurter de la tête un éperon rocheux. Il avait parcouru une dizaine de mètres quand, soudain, sa main rencontra l'air libre. Un instant plus tard, éberlué, il passait la tête hors de l'eau.

Il n'y voyait goutte. Il lâcha son embout et projeta sa lumière à la ronde.

— Guillaume !

Il dirigea son faisceau vers le cri et fut traversé par un frisson d'horreur. À trois mètres de lui, des hardes pourries sur les côtes, un squelette fixait le néant. Ligotée, couchée sur le côté pour atteindre la corde de nylon de la main, Aude, le visage souillé de larmes, le regardait avec des yeux creusés par l'épouvante.

— Aude !

Il se trouvait dans une crypte à peu près ronde, de quatre mètres de diamètre, dont la moitié gauche avait été envahie par l'éboulement. À grand-peine, Guillaume se hissa hors du trou et alla rejoindre son amie. Elle tremblait de froid et d'épuisement.

— Ne crains rien. C'est fini maintenant.

— J'entendais l'eau qui clapotait dans le trou, de plus en plus fort. La marée montait. J'avais peur de mourir ici.

— Pas de danger. Les marées ne sont pas assez fortes.

Elle appuya sa tête contre son épaule.

— Tu avais raison pour le gardien.

— Pardonne-moi.

— Il n'y a rien à pardonner. Sors-moi d'ici, je vais devenir folle.

Il la détacha et frictionna ses membres endoloris.

— On peut dire que tu es chanceuse. Tu seras capable de nager ? Il faut traverser un tunnel d'une dizaine de mètres.

— J'ai fait plus long à la piscine.

— Après deux siècles, la falaise s'est érodée et la mer s'est creusé un chemin jusqu'à la cachette de Ratcliffe.

Guillaume prit son courage à deux mains et éclaira le crâne du gardien.

— Pauvre diable ! J'espère qu'ils ne l'ont pas enterré vivant.

— Regarde sous lui. J'ai eu l'impression de voir un bout de métal quand Bourque m'a emmenée ici.

Le cœur de Guillaume bondit dans sa poitrine. Surmontant sa répugnance, il poussa le squelette et enfonça ses mains dans la terre. Il dégagea une cassette d'acier lisse, scellée par la rouille.

— Regarde !

— Je ne comprends pas, dit Aude. Bourque est pourtant parti avec un coffre.

— C'est pas compliqué, il y en avait deux. On a trouvé le trésor de Brion !

— C'est bien beau, mais il faut sortir d'ici.

— Prends ma bonbonne.

— Ça me nuira plus qu'autre chose. Tu as dit dix mètres ? Je passerai devant. Pousse-moi dans le dos si je panique.

Aude et Guillaume se glissèrent dans le trou d'eau. Elle s'oxygéna à fond, sourit et plongea. Il la suivit, le coffret au bout des bras. Quinze secondes plus tard, ils émergeaient dans la grotte et nageaient vers la lumière du jour. Quand ils eurent atteint l'eau libre, Guillaume fit du sur-place, le coffret à bout de bras.

— On le jette ou on le garde ? demanda-t-il en riant.

— Penses-tu qu'il nous portera bonheur ?

— C'est toi qui décides.

Aude s'enroula autour de lui et l'embrassa.

— On le garde, nono ! S'il fallait qu'on soit riches !

32

LE SECRET DE
WILLIAM DONNEGAN

La pluie avait cessé. La brume se dissipait.

— Hé, les amoureux !

Juché sur le bord de la falaise, souriant, Jean-Denis Painchaud regardait s'ébattre ses deux amis.

— Regarde ! dit Guillaume en brandissant le coffret.

— Ciboulette de cadenas ! Veux-tu bien mettre ça au sec ?

Deux minutes plus tard, les rescapés de la crypte avaient monté leur butin au haut du cap. Pendant qu'Aude claquait des dents sous la vareuse de Jean-Denis, Guillaume inséra la lame de son couteau sous le couvercle et récura avec précaution la moisissure qui s'était infiltrée dans la rainure.

— Qu'est-ce que t'attends ? grogna Jean-Denis. Fais sauter le couvercle !

— Les nerfs, Painchaud ! Il ne faut pas endommager le coffret. Je vais le donner au père Turbide.

— Tant qu'on garde le trésor, fais ce que tu veux avec le coffret.

Le couvercle bougea enfin. Lentement, Guillaume le fit basculer sur ses ferrures rouillées. À l'intérieur, il découvrit un vase doré, haut de vingt centimètres à peine. Guillaume le saisit avec précaution, ému jusqu'aux larmes.

— Le calice de Beaubassin ! La légende était donc vraie !

Déjà Jean-Denis tendait ses doigts vers le coffret.

— Attends, je t'ai dit ! cria Guillaume. Il ne faut rien endommager.

Il sortit de la cassette un cahier aux pages tordues par l'humidité et un rouleau de feuillets retenus par une cordelette de chanvre. Il les déposa sur l'herbe, fouilla de nouveau le coffret, le retourna à l'envers et dut se rendre à l'évidence : il ne contenait ni or ni pierre précieuse.

La découverte précipita Guillaume et Jean-Denis dans un profond abattement. Wilfred Bourque les avait bel et bien devancés dans la course au trésor du capitaine Ratcliffe. Eux n'avaient découvert que de la paperasse et un vieux vase. Ils devaient faire leur deuil de leurs rêves de richesse. Ce ne fut qu'à cet instant qu'ils réalisèrent à quel point ces espoirs les avaient enflammés pendant la dernière semaine. Être riche! Vivre sans se préoccuper de l'avenir! Payer du luxe à ses proches, dépenser sans compter, voyager dans des pays exotiques, pendant des mois, des années, comme les aristocrates des siècles passés! Jean-Denis se voyait propriétaire du Café, commerçant dilettante et cultivé, Guillaume à la barre d'un trois-mâts rutilant de cuivres et bardé de teck, lui-même diplômé des plus grandes écoles de navigation.

— Vous me faites rire!

Aude pouffa devant la déconfiture des garçons. Insulté, Guillaume ouvrit le cahier pour garder contenance.

Ai baptisé, en ce septième jour d'août 1786, Joseph-Isaac Arsenault, âgé de trois mois, fils d'Antoine Arsenault et de Louise Boudrot.

— Le registre de l'abbé Donnegan!

Guillaume Cormier découvrait, au fil des pages semées de pâtés d'encre, les entrées du premier registre des Îles-de-la-Madeleine.

— Moi, tu sais, les vieux livres... maugréa Jean-Denis.

— Ce cahier a une valeur inestimable. On croyait qu'il avait brûlé à Arichat. Avec ça, les généalogistes et les historiens vont pouvoir reconstituer toute l'histoire de la fondation des Îles.

— Penses-tu qu'on pourrait le vendre ?

— Jean-Denis !

Les deux amis se turent, intrigués par le silence d'Aude. Assise à l'indienne dans l'herbe, elle avait détaché la cordelette qui liait le rouleau de feuillets et était absorbée dans sa lecture.

— Qu'est-ce que c'est ? demanda Guillaume en s'approchant.

D'un geste de la main, elle le fit taire.

Guillaume et Jean-Denis s'approchèrent. Aude leur tendit le premier feuillet et continua sa lecture.

Le 5 novembre 1791

Depuis des mois, des années, je médite les termes de cette lettre. Je l'ai écrite vingt fois

358

pour la brûler à la flamme de ma chandelle.
Tu l'auras sans doute compris lors de notre
dernière rencontre : nous ne nous reverrons
jamais.

Ma vie est devenue un enfer. Je ne peux
plus vivre dans le péché. Mes nuits sont peu-
plées de cauchemars. Je sens planer autour de
moi le châtiment. Dans les regards de mes
paroissiens, aux Îles et au Cap-Breton, je ne
sens que la gêne et le mépris. J'ai perdu goût
à la vie et je dépéris de jour en jour.

Quand je suis aux Îles, l'attente de tes
visites, autrefois le seul soulagement de ma
vie de misère, m'est devenue insupportable.
Je redoute d'entendre ton pas. Nous avons
franchi les limites de l'interdit. Mon seul
réconfort désormais est de me consacrer à
mon ministère.

Ne cherche plus à me voir. Tu ne me
causeras que des souffrances. Le temps est
venu pour moi de réparer mes fautes.
Adieu,

W.

— Une vraie lettre d'amour ! s'exclama Jean-Denis. L'abbé Donnegan
devait avoir une blonde. Ratcliffe a mis la
main sur ses lettres pour le faire chanter.

— Tu n'as rien compris, dit Aude, les larmes aux yeux. La blonde, c'était Ratcliffe. Quand l'abbé Donnegan l'a quitté, le pirate a voulu se venger, ou le retenir, en lui volant le calice et le registre.

Elle leur passa d'autres feuillets, des lettres, des poèmes. Au fil des années s'étalaient, balisées par de longues lettres tourmentées, toutes les étapes d'une relation platonique puis infernale.

— Tout s'explique, dit Guillaume. Tu te souviens du journal de Geneviève Boudreau ? *Elle m'a dit que ce capitaine vivait dans le péché et que le calice était bien là où il était.* Les gens de Havre-Aubert, au moins la famille de Louis Boudreau, savaient ce qui se passait. À cette époque, l'homosexualité devait être un sujet tabou. Encore plus entre un pirate et un missionnaire. Ça explique pourquoi toute l'histoire du calice et du registre a été si bien enfouie dans les mémoires. Pour nos ancêtres, le trésor de Brion était maudit.

— Mais l'abbé Donnegan, comment a-t-il fini ?

— À ma connaissance, personne ne le sait. Il est peut-être mort dans le regret et la solitude.

Isolés dans la paix sauvage de Brion, les trois amis, émus, se laissèrent envahir par les images du passé. Henry Ratcliffe, le pirate de Boston, ne leur apparaissait plus sous un jour si sombre. Ils pouvaient imaginer que cet homme si étrange, bandit, poète et astronome, était une âme écorchée qui avait cherché sur la mer la liberté que lui refusait la société puritaine de la Nouvelle-Angleterre. Ils pouvaient imaginer que William Donnegan, le jeune abbé irlandais qui lisait du Shakespeare, avait trouvé plaisir, isolé au milieu de ses pêcheurs, à converser avec un homme cultivé. Le reste était une cruauté du destin, semblable à celles qu'ils observaient avec de moins en moins de détachement chez les adultes.

— Bon. Maintenant, qu'est-ce qu'on fait ? dit Jean-Denis, que son épaule faisait souffrir.

— On retourne chez les Dingwell, dit Guillaume. Ce soir, on fera un feu sur la plage pour avertir les gens de Grosse-Île. Quelqu'un viendra nous chercher.

Ils n'eurent pas cette peine. Alors que, chargés de leur butin, ils quittaient la Saddle en direction de l'ouest, le bruit d'une sirène de bateau les fit tressaillir.

Ils coururent jusqu'au cap des Tombes. Roulant, tanguant dans la houle, la *Marie-Guillaume* émergea de la brume. Les trois naufragés crièrent, agitèrent les bras au bord de la falaise. La sirène retentit une nouvelle fois. André Cormier sortit de la cabine pour rejoindre Pierre Brousseau sur le pont.

33

UN ABORDAGE

S'ils appréhendèrent un instant de subir les foudres parentales, Aude et Guillaume comprirent bientôt que leurs pères étaient fous de joie à la seule idée de les revoir vivants. L'œil sur la sondeuse, André Cormier ancra la *Marie-Guillaume* dans l'anse du Sud. Le père d'Aude mit le canot pneumatique à la mer et rama le cœur léger vers les aventuriers.

Une demi-heure plus tard, l'embarcation était de retour, chargée à ras bord. André Cormier, ému jusqu'aux larmes, n'avait d'yeux que pour son Guillaume. Il remarqua le coffret que son fils serrait contre lui.

— Qu'est-ce que tu as là ?

— Le trésor, c't'affaire !

Les embrassades terminées, Guillaume exhiba le calice, le registre et les lettres.

André Cormier, peu porté sur le frisson historique, examina le calice à la lueur du jour.

— Si tu deviens pas riche, au moins tu auras de quoi boire.

Le soir précédent, torturé par le remords, il avait été à la marina trouver le père d'Aude. Le professeur, mortellement inquiet, était sur le point d'alerter la garde côtière. Une brève enquête auprès de Mme Painchaud, de Bathilde et des pêcheurs de l'île d'Entrée avait confirmé leurs soupçons. Loin de camper sur l'île voisine, leurs enfants étaient partis chasser le trésor à l'île Brion.

Les deux pères avaient appareillé dès l'aube. En arrivant sur les lieux, ils avaient fouillé la côte nord de l'île, où l'épave du *Par là-bas* les avait plongés dans les pensées les plus sombres.

— Vous pourrez dire que vous nous avez donné la frousse.

— Ça en valait la peine, dit Guillaume en montrant le coffret.

Le père de Guillaume mit le cap sur Grosse-Île. Il voulait conduire Jean-Denis à l'hôpital le plus tôt possible. Le blessé refusa. Sans l'avouer, il tenait à débarquer en héros à Havre-Aubert, le bras en écharpe, sous l'œil de tout le village.

— C'est comme tu voudras, dit André Cormier.

Il pointa l'étrave du bateau vers Grande-Entrée. Debout à ses côtés, Guillaume fixait le coffret et hochait la tête.

— Dommage que Bourque se soit sauvé avec l'autre coffre.

— Trésor ou pas, je suis content de t'avoir retrouvé.

— Pardonne-moi. J'aurais pas dû partir de la maison comme ça.

— T'es pas le premier...

Sous les sourcils roux, les yeux du pêcheur pétillaient d'une douce ironie. Guillaume le regarda et retrouva sous les traits vieillis le papa de son enfance. Quoi qu'il fasse ou devienne, cet homme l'aimerait toujours.

— Je crois que j'ai pas toujours été juste avec toi depuis que maman est partie.

— Ça sert à rien de parler du passé, dit André Cormier en le serrant par le cou. Profite des beaux moments.

Guillaume se retourna. Aude regardait s'éloigner l'île, debout à l'arrière. Il alla la rejoindre. La fin de l'après-midi apportait une accalmie. Le vent faiblissait, la brume se dissipait au-dessus de la mer houleuse. Sur Brion, la maison des Dingwell se dressait, solitaire, au pied de la butte de l'Homme mort.

Aude semblait triste.

— Qu'est-ce que tu as ?

— Je pense à l'abbé Donnegan et à Ratcliffe. Je me sens coupable. J'ai l'impression de les avoir trahis.

— Ces lettres ont une valeur historique.

— Es-tu certain ?

Guillaume, troublé, se tut. Il réfléchit quelques instants, alla chercher les lettres du prêtre irlandais dans le coffret et les tendit à la jeune fille.

— Tu as peut-être raison. Fais-en ce que tu veux.

Aude détacha la cordelette de chanvre. Une à une, elle jeta les lettres de l'abbé Donnegan dans le sillage du bateau. Les feuilles de papier jauni flottèrent quelques secondes sur l'eau grise puis disparurent, happées par les vagues.

— Voilà. On sera les seuls à savoir.

Pierre Brousseau, les jumelles à la main, les appela à l'avant.

— Vaisseaux à tribord !

— Franchement, papa !

Une flottille de six bateaux de pêche, flanquée de deux canots à moteur, s'amenait sur eux. La proue moustachue, le tuyau d'échappement crachant une colonne de fumée, les homardiers filaient à pleins gaz dans la houle abandonnée par le vent du sud.

André Cormier prit les jumelles.

— C'est bizarre. Il y a deux bateaux de Pointe-aux-Loups, un de Grande-Entrée, même un de Grosse-Île. Il n'y a pas de doute : ils filent droit sur nous.

Les trois jeunes gens devinrent nerveux, redoutant un autre coup de Wilfred Bourque.

Le père de Guillaume ne déviait pas de sa route. Les bateaux grandissaient rapidement à l'horizon. La radio grésilla.

— Allô, la *Marie-Guillaume*?... Vous avez retrouvé vos pirates ?

— Sains et saufs.

— On a quelque chose pour vous autres.

Déformée par les parasites, la voix semblait familière. On coupa les moteurs. La flottille et la *Marie-Guillaume*, dansant sur les vagues, se rencontrèrent au milieu du bras de mer qui séparait Brion de la

Grosse Île. Le père Turbide, la crinière au vent, apparut sur le pont d'un homardier qui tirait un canot pneumatique.

— On a pêché deux marsouins! cria-t-il.

Deux gaillards de Grande-Entrée sortirent de la cabine en tirant, mains attachées derrière le dos, Wilfred Bourque et Roger Boudreau. Guillaume et Jean-Denis ouvrirent de grands yeux et se mirent à trépigner sur place.

— Avez-vous pêché autre chose? hurla Guillaume.

— Je ne sais pas si ça va vous intéresser!

On lança des amarres. Les bateaux s'accostèrent. Sur les autres homardiers, dans les canots à moteur, une douzaine d'hommes solides, la face rouge brique, observaient avec un étrange respect les trois adolescents.

— On a cueilli ces oiseaux-là près de la Grosse Île, continua le curé en désignant Bourque et Boudreau. Heureusement, la mer était forte. Leur canot ne pouvait pas aller très vite. Quand Bathilde m'a dit que vous étiez partis pour Brion, j'ai pensé que vous pourriez avoir besoin d'aide. J'ai appelé dans tous les ports pour savoir si un drôle d'Américain avait loué une embarcation. Un gars de Grosse-Île m'a dit que oui. Il ne me restait plus qu'à rassembler quelques amis et à lui couper la fuite.

— Vous n'avez pas besoin de les attacher, dit Aude. Ils ne sont pas vraiment méchants.

— Es-tu folle ? protesta Jean-Denis. Ils ont failli te faire crever au fond de la grotte !

Guillaume fouillait le homardier des yeux.

— Est-ce qu'ils transportaient quelque chose à leur bord ?

Le père Turbide sourit. Il disparut dans la cabine et en revint avec un coffret identique à celui de la crypte. Guillaume scrutait le visage du prêtre. Son regard amusé l'inquiétait. Des veines saillaient dans son cou tandis qu'il manipulait le coffre.

— Hum !... On a ramassé cette vieillerie-là.

— Moi aussi, j'ai trouvé quelque chose, dit Guillaume. On pourrait faire un échange.

Le prêtre et l'adolescent sourirent. Silencieusement, ils procédèrent à l'échange des coffres.

— À vous d'abord de l'ouvrir, dit Guillaume.

— Non. On commence par les plus jeunes.

Le coffre était lourd et en tout point pareil à l'autre. André Cormier, Jean-Denis, Aude et son père s'approchèrent. Guillaume sortit son couteau et l'inséra dans la rainure. Le couvercle s'ouvrit sur un tapis de pièces d'or, d'argent et de pierres précieuses grosses comme des bleuets du continent.

— Te voilà riche, mon gars, dit André Cormier en se penchant sur la découverte.

— NOUS voilà riches ! s'écria Jean-Denis en éclatant d'un rire nerveux. Un pour tous et tous pour un !

Le père Turbide avait ouvert l'autre cassette et couvait d'un regard humide le registre de l'abbé Donnegan et le calice de Beaubassin.

— Imaginez l'effet que ça fera dans le musée ! Guillaume Cormier ! Je pense qu'après t'avoir connu, j'oserai plus jamais dire à personne qu'il a la tête dure ! À propos, j'ai autre chose pour toi.

Le curé glissa la main dans sa poche et en tira la croix d'argent. Étreint par une étrange émotion, Guillaume la prit et relut le message chiffré. Une semaine plus tôt, jour pour jour, il l'avait trouvée sous le cap Gridley. Comment s'y était-elle trouvée ? L'abbé Donnegan, ivre de remords ou de colère, l'avait-il jetée à la mer pour défier le Dieu qui l'enfermait dans une passion si cruelle ? Par quel hasard, lui, Guillaume Cormier, le pêcheur de moules, avait-il pu découvrir son message, suivre sa trace jusqu'au cap aux Côtes de Baleine et retrouver la relique que son ancêtre François avait arrachée aux Anglais au temps du Dérangement ?

Une croix... Deux lignes se croisant à angle droit... Tout amour, toute vie n'étaient-ils pas le résultat d'un hasard prodigieux ? Guillaume remit la croix au père Turbide.

— Redonnez-la à M. Bourque. Après tout, il l'a achetée.

— Pas question ! grogna André Cormier. Lui, on lui rend ses dix mille piastres et on le renvoie *back* aux États !

Le jour baissait. Comme effrayé de transporter à son bord une si précieuse cargaison, André Cormier donna le signal du départ. Pendant qu'au loin la sil-houette sombre de Brion se repliait dans sa solitude, que les sternes et les macareux glissaient sans bruit dans le ciel orange, la *Marie-Guillaume*, flanquée de son escorte, mit le cap sur Havre-Aubert.

À ce jour, on ne s'entend toujours pas sur le nombre de bateaux qui, attirés par les échos des radios, reconduisirent les héros à leur port d'attache. John à Wilfrid parle de quarante, ou soixante, à rouler et à pétarader, assez pour faire s'envoler tous les oiseaux du cap Gridley.

34

ÉPILOGUE

Marins de Normandie
De Bretagne ou d'Irlande
Vous qui êtes partis
Sombrer si loin de Londres

Devant le miroir de sa chambre, André Cormier ajustait son chapeau de cow-boy en fredonnant une chanson de Georges Langford.

— Tu vas mettre ça ? lui demanda Guillaume, qui passait dans le corridor.

— C'est mon chapeau. C'est ma tête.

Aude apparut, en robe, et jeta un œil sur le couvre-chef du pêcheur.

— Moi, je le trouve super !

Elle embrassa Guillaume sur la joue et se hâta vers la salle de bains.

— Tu ne sais pas ce qui est beau, dit André Cormier en donnant un coup de poing sur l'épaule de son fils.

Il descendit l'escalier en sifflant. Cinq jours après le retour de Brion, Guillaume était rentré un après-midi et avait découvert, collé sur la porte du réfrigérateur, une feuille portant une adresse de poste restante à Athènes. Il avait été trouver son père qui faisait du ménage dans la remise.

— Elle a appelé ?

— Oui.

Son père n'avait pas élaboré, concentré sur son travail.

— Elle était où ?

— Rome.

— Et puis ?

— Elle va bien.

— Ensuite ?

— Elle est très fière de toi.

— Tu vas lui écrire ?

Son père avait levé la tête et lui avait souri.

— Je pense que oui.

Guillaume n'en avait pas appris davantage ce jour-là. Son père voulait-il le protéger d'un sursaut d'espoir ? Les jours suivants, Guillaume avait observé des changements dans son comportement. Il avait délaissé la bouteille, fermé la parenthèse Rosaline, recommencé à pêcher. Lui et Pierre Brousseau, devenus inséparables, avaient fait une longue virée en mer, seuls sur le *Nirvana*.

Aude et Guillaume les avaient retrouvés à leur retour au quai. Les deux hommes souriaient comme des collégiens. De quoi avaient-ils parlé pendant leur escapade ? De leurs enfants ? De leur femme ? Peut-être n'avaient-ils pas parlé du tout.

Guillaume entra dans la salle de bains. Aude mettait des boucles d'oreilles.

— Tu les aimes ?

Il se glissa derrière elle et l'embrassa dans le cou.

— Tu n'as pas besoin de ça pour être belle.

Un coup de klaxon les fit sursauter. Ils passèrent la tête par la fenêtre. La décapotable du gros Rosaire les attendait devant la maison. Sur le siège arrière, le bras toujours en écharpe, Jean-Denis leva vers eux des yeux fâchés.

— Lâchez-vous, on va être en retard !

Guillaume et Aude dévalèrent l'escalier et sortirent dans le soleil de midi.

Leurs pères endimanchés s'apprêtaient à partir dans le camion.

— On vous attendra au Café.

Les amoureux rejoignirent Jean-Denis sur la banquette de la décapotable. Le gros Rosaire, suant dans son veston, engagea le mastodonte sur le chemin d'en Haut. De chaque côté de la route, on se retournait sur leur passage.

— Ciboulette de cadenas ! glissa Jean-Denis entre ses dents. On a l'air d'avoir gagné la Coupe Stanley !

— Si tu te trouves pas une blonde après ça, dit Guillaume, il n'y a pas d'espoir.

— Taisez-vous donc, fit Aude. C'est notre journée, aussi bien en profiter.

Guillaume lui prit la main. L'échéance approchait. Dans une semaine, le *Nirvana* reprendrait la route de Québec. Aude et lui renoueraient avec les amours à distance. La perspective leur semblait moins dramatique que l'été précédent. Ils avaient partagé tant d'émotions et d'aventures qu'ils pouvaient envisager une séparation de quelques mois avec confiance. Guillaume passerait l'automne avec son père, mais songeait déjà à s'inscrire dans un collège de Québec pour la session d'hiver.

Ils passèrent devant le Palais de justice et se dirigèrent vers la Grave. La décapotable était une idée du maire, qui tenait à associer en grandes pompes sa municipalité à l'événement historique. Ce n'était pas tous les jours que trois adolescents découvraient un vrai trésor, dont la valeur, dûment évaluée par des joailliers et des numismates, se chiffrait à plus de deux cent mille dollars. Les noms de Brion et de Havre-Aubert avaient été cités dans les journaux, à la télévision, aussi loin qu'en Europe et en Australie.

Les premiers émois passés, les trois aventuriers avaient compris qu'être célèbre n'était pas une sinécure. Si l'on était riche en plus, cela confinait au cauchemar. Harcelés par leur famille, par leurs voisins, par les médias, par un éditeur qui voulait acheter leur histoire, par un producteur qui leur faisait miroiter des auditions, par les conseillers financiers qui leur suggéraient des placements, ils n'avaient plus trouvé le repos que sur le *Nirvana*. Affalés sur le pont sous l'œil des deux capitaines, les jeunes gens discutaient de la façon dont ils allaient disposer de leur argent.

Guillaume, qui avait souhaité devenir riche pour poursuivre ses études et conquérir Aude, déchantait. Plus il y songeait, plus sa part du butin lui pesait. La perspective d'avoir plus de soixante mille dollars à la banque ne lui rendait pas l'existence plus intéressante. Ce qu'il aimait, c'était lutter. Il voulait réussir dans la vie, mais grâce à son mérite.

De plus, il trouvait immoral de s'approprier un trésor volé deux siècles plus tôt. Cette fortune ne leur appartenait pas. N'allait-elle pas leur porter malheur, les rendre blasés avant l'âge et les couper de leurs amis ?

Obnubilé par l'idée de devenir propriétaire du Café, Jean-Denis était moins sensible à ces scrupules. S'ils n'avaient pas trouvé la croix de l'abbé Donnegan, le trésor dormirait encore à l'île Brion.

Aude était davantage préoccupée par ses amours et par son père que par des rêves de richesse. Encore hantée par le souvenir de son séjour dans la crypte auprès du gardien du trésor, elle répugnait à en toucher la moindre parcelle. Habitée par un tenace sentiment de terreur, elle se rangeait à l'avis de Guillaume : cet argent arraché par des pillards ne leur apporterait que des ennuis. Il serait plus juste de le rendre, d'une façon ou d'une autre, à la communauté.

Trois jours après l'annonce de leur découverte, un coup de téléphone d'un fonctionnaire était venu interrompre leurs délibérations : le gouvernement, propriétaire de l'île Brion, contestait leurs droits sur le butin. Après un mouvement de colère, les trois amis, assiégés de toutes parts, avaient accueilli la nouvelle avec soulagement. Plutôt que de s'engager dans une saga juridique, ils avaient proposé que le produit de la vente du trésor soit remis à une fondation vouée à la conservation de l'île Brion. Heureuses de s'en tirer à si bon compte, les autorités avaient accepté et avaient offert une compensation de dix mille dollars à chacun des héros.

Aude, décidément superstitieuse, avait donné sa part au musée pour l'aménagement d'une salle spécialement consacrée au trésor d'Henry Ratcliffe.

Le gros Rosaire passa devant le Café. Guillaume s'alarma.

— Je croyais que la fête avait lieu au Café...

Jean-Denis souriait.

La décapotable dépassa le bar laitier, les boutiques, le musée et roula jusqu'au slip des pêcheurs où une foule était massée. Guillaume se leva soudain. Sur une remorque, fraîchement repeint, ses drisses d'acier tintant contre son nouveau mât, le *Par là-bas* brillait au soleil.

— Vous m'avez eu ! dit Guillaume. Je croyais jamais qu'il serait réparé aussi vite !

Jean-Denis riait franchement. Les trois jeunes gens descendirent de l'auto sous les applaudissements. Les dignitaires s'étaient déplacés, le député, le maire, le fonctionnaire de la Culture, celui de l'Environnement, les historiens, les généalogistes, mêlés à des touristes éberlués et à des amis du canton. Tout le monde était présent : Bathilde, le père Turbide, Mme Painchaud, Nathaël Cormier, Docile, l'oncle de Jean-Denis, Pierre Brousseau, André Cormier et même John à Wildrid, qui sirotait sa bière appuyé contre un hangar.

À l'écart des grands, les enfants de la Grave rôdaient autour du *Par là-bas*, caressaient ses flancs en fibre de verre, attirés par le parfum de l'aventure.

Guillaume regarda Aude. Une même pensée les traversait : il ne manquait que leurs mères pour que le portrait fût complet.

Après les éloges des dignitaires, Guillaume prononça un mot de remerciement et l'on procéda à la mise à l'eau du voilier. Le gros Rosaire enleva son veston, monta sur son tracteur et fit délicatement reculer la remorque sur le slip. La poupe du *Par là-bas* se souleva quand elle toucha l'eau. L'instant d'après, le petit voilier flottait de nouveau dans le havre.

Guillaume sauta à bord.

— Tu veux l'essayer ? demanda son père.

— Si c'est pas impoli...

Aude le rejoignit sur le bateau. Jean-Denis les observait du haut du quai.

— Tu viens avec nous ? lui cria Guillaume.

— J'ai assez fait le chaperon !

Guillaume regarda son ami et sentit l'émotion l'envahir. Ils avaient partagé leur enfance. Dans quelques mois, leurs chemins se sépareraient, mais ils demeureraient liés pour toujours par le souvenir de leur aventure. Jean-Denis lui fit un petit adieu comique et détacha l'amarre qui retenait le *Par là-bas*.

Aude s'affairait déjà à sortir le foc de l'écoutille. Sous les yeux des curieux, Guillaume gagna le chenal puis éteignit le moteur. Le voilier glissa sur son erre, ballotté par les vagues.

Aude se retourna. Hâlée, cheveux au vent, elle n'avait jamais été aussi belle.

— Alors, patron ?

— Hissez la grand-voile !

Elle tira sur la drisse. La voile monta le long du mât, claqua sous le souffle du vent d'ouest. Guillaume saisit l'écoute : le triangle de toile se raidit, le bateau donna de la gîte et commença à tailler son chemin dans les vagues.

Aude vint s'asseoir près de Guillaume. Une main sur la barre, l'autre sur l'écoute, les yeux levés vers la voile et les haubans, il sentait de tout son corps la nouvelle allure de son bateau.

— Tu es content ?

— Qu'est-ce que tu penses ?

Ils se regardèrent, retrouvèrent un à un, comme les éléments d'un paysage familier, les traits du visage qui les fascinait depuis des semaines.

— Où on va ?

— N'importe où.

Un concert de cris et de coups de klaxons les fit sursauter : du quai, leurs amis les saluaient. Ils répondirent de la main puis se consultèrent du regard.

— Par là-bas ? demanda Aude.

— Par là-bas.

Ramenant la barre à lui, Guillaume Cormier pointa l'étrave du bateau vers le large.

Lexique

au près : dans la direction rapprochée de celle d'où vient le vent.

à la grandeur : *parler à la grandeur*, parler de façon recherchée.

bôme : pièce de bois ou de métal sur laquelle est attachée la partie basse d'une voile aurique ou triangulaire.

brisants : vagues se brisant sur des écueils.

butin : vêtements.

buttereau : dune de sable.

cargues : cordages servant à replier ou à serrer une voile contre une vergue ou un mât.

chaviré : *aux Îles*, fou, dérangé.

chien de mer : variété de petit requin.

couteau : coquillage de forme rectangulaire et allongée.

dégolfer : *aux Îles*, quitter le golfe Saint-Laurent.

dérangement : déportation des Acadiens de 1755-1758.

drisse : cordage servant à hisser.

écoute : cordage servant à orienter une voile.

en premier : *chez les Madelinots*, l'ancien temps.

foc : voile triangulaire à l'avant d'un navire.

gîter : donner de la bande.

godême : de l'anglais *goddam*, juron.

grand'terre : continent.

grave : plage de galets sur laquelle les pêcheurs faisaient sécher la morue.

gréement : ensemble des appareils et des objets nécessaires à la manœuvre des navires à voile. *Par ext.*, linge, bagage.

hauban : câble fixe servant à soutenir les mâts par le travers et par l'arrière.

istorlet : sterne.

lisse de pavois : pièce de bois placée longitudinalement à la partie supérieure du pavois et servant de main courante ou d'appui.

lof : côté d'un navire qui se trouve frappé par le vent. *Virer lof pour lof :* virer vent arrière.

mousse : jeune garçon.

noroît : vent de nord-ouest.

passe : passage praticable à la navigation.

pavois : partie de la muraille d'un navire située au-dessus du pont.

platier : banc de sable en bordure d'une plage.

pommes de pré : canneberges.

quillard : voilier muni d'une quille fixe diminuant le roulis.

ris : partie d'une voile destinée à être serrée sur une vergue ou une bôme au moyen de garcettes, pour la soustraire à l'action du vent. *Prendre des ris*, diminuer la voilure au moyen des garcettes de ris.

salange : près des côtes, gouttelettes d'eau salée charriées par le vent.

spi ou **spinnaker** : grande voile triangulaire, creuse, employée dans la marche au vent arrière ou aux allures portantes.

suête : vent de sud-est.

suroît : vent de sud-ouest. Chapeau ciré de marin.

trawl : cordage reliant quelques cages à homard et dont les extrémités sont munies de bouées.

vergue : pièce de métal ou de bois placée en travers d'un mât pour soutenir et orienter une voile.

voilier : artisan qui fait ou répare des voiles de navire.

TITAN JEUNESSE

Cantin, Reynald
    LA LECTURE DU DIABLE #24
    Série Ève
    J'AI BESOIN DE PERSONNE #6
    LE SECRET D'ÈVE #13
    LE CHOIX D'ÈVE #14

Côté, Denis
    NOCTURNES POUR JESSIE #5

Daveluy, Paule
    Série Sylvette
    SYLVETTE ET LES ADULTES #15
    SYLVETTE SOUS LA TENTE BLEUE #21

Demers, Dominique
    Série Marie-Lune
    LES GRANDS SAPINS NE MEURENT PAS #17
    ILS DANSENT DANS LA TEMPÊTE #22

Grosbois (de), Paul
    VOL DE RÊVES #7

Labelle-Ruel, Nicole
    Série Cri du cœur
    UN JARDINIER POUR LES HOMMES #2
    LES YEUX BOUCHÉS #18

Lazure, Jacques
    LE DOMAINE DES SANS-YEUX #11
    PELLICULES-CITÉS #1

Lebœuf, Gaétan
    BOUDIN D'AIR #12
    SIMON YOURM #4

Lemieux, Jean
    LA COUSINE DES ÉTATS #20

Marineau, Michèle
    LA ROUTE DE CHLIFA #16
    Série Cassiopée
    CASSIOPÉE OU L'ÉTÉ POLONAIS #9
    L'ÉTÉ DES BALEINES #10

**LA SÉRIE ANNE
(NOUVELLE ÉDITION FORMAT POCHE)**
Montgomery, Lucy Maud
    ANNE...LA MAISON AUX PIGNONS VERTS
    ANNE D'AVONLEA
    ANNE QUITTE SON ÎLE
    ANNE AU DOMAINE DES PEUPLIERS

**LE DICTIONNAIRE
VISUEL JUNIOR
UNILINGUE FRANÇAIS
UNILINGUE ANGLAIS
BILINGUE**
Archambault, Ariane
Corbeil, Jean-Claude

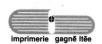

imprimerie gagné ltée

IMPRIMÉ AU CANADA